S0-ABY-863

前　言

　　古代诗歌是我国文学宝库中的瑰宝。它源远流长，发展到唐朝，日趋成熟，达到鼎盛。流传至今的《全唐诗》有5万多首，有名有姓的诗人达2000多人。自村夫至皇帝，从稚童到老叟，有男士，有女子，群星灿烂，真是一个咏诗的年代。唐诗内容广泛，有的咏山川田园之美，有的写边塞将士的英勇气概，有的记述民间疾苦和人民愿望，有的抒发个人志向和奋发精神，有的表达人际之间美好的情感……一首首诗作，一面面镜子，反映社会生活，映照人们心灵。不仅如此，优秀诗作的语言还讲求音韵和谐，既有明白晓畅的，又有含蓄深沉的，言简意赅，富有情味。一个人从小读一些唐诗，对开阔视野，增长知识，提高文化素养很有好处。

　　历来唐诗的选本很多，最为流传的是清人孙洙编的《唐诗三百首》，但它对今天的少年儿童来说不甚适用。根据当今少年儿童的实际，我们选编了这本儿童版《唐诗三百首》。

　　儿童版《唐诗三百首》选入的多为脍炙人口的名作，有些还是唐代的少儿之作以及反映少儿生活的作品，形式上短小，内容上易懂，可作为少年儿童学习古典文学的启蒙读物。书中各诗配有彩图，并加上简明的注释和解说，以引导小读者思考，帮助小读者理解。原诗都用汉语拼音字母注音，注音按现代汉语中普通话的语音标准，以适于少年儿童诵读。我们相信，这本儿童版《唐诗三百首》能为少年儿童所喜欢，并使他们从中得到教益。

编　者
1997 年 8 月

目　录

sòng xiōng
送兄

qī suì nǚ
七岁女

bié lù yún chū qǐ
别 路 云 初 起，

lí tíng yè zhèng xī
离 亭 叶 正 稀。

suǒ jiē rén yì yàn
所 嗟 人 异 雁，

bù zuò yī háng fēi
不 作 一 行 飞。

【注释】 ①七岁女：姓名不详，写此诗时年仅七岁。 ②离亭：送别处的路亭。

【解说】 这首诗表达小作者送别哥哥时依恋不舍的深情。哥哥要上路了，天边秋云初起，天色灰蒙蒙的；分别处的路亭周围，树叶纷纷飘落，气氛萧索。令人感叹的是人不能跟大雁一样，雁行能一起飞向远方，而此时我们兄妹却不能同去远地。诗中写景的气氛与离别时的心情相应，兄妹不忍分离与雁行齐飞相对照，显得自然、诚挚。

chán

蝉

yú shì nán

虞世南

chuí ruí yǐn qīng lù

垂緌饮清露，

liú xiǎng chū shū tóng

流响出疏桐。

jū gāo shēng zì yuǎn

居高声自远，

fēi shì jiè qiū fēng

非是藉秋风。

【注释】 ①垂緌：本指垂下帽带，这里指蝉低着头。 ②流：流布，传布。疏桐：高大的梧桐。 ③藉：凭借。

【解说】 蝉饮着清纯的露水，从高大的梧桐树上发出叫声。蝉因身居高处，声音自然能够传得很远，并不是借助秋风吹送。诗人借写蝉的声音能传得很远来说明一个具有高尚品格的人，他的名声也自然会流传四方。

yǒng fēng
咏风

yú shì nán
虞世南

zhú wǔ piāo qīng xiù
逐舞飘轻袖，

chuán gē gòng rào liáng
传歌共绕梁。

dòng zhī shēng luàn yǐng
动枝生乱影，

chuī huā sòng yuǎn xiāng
吹花送远香。

【注释】　①逐：随。轻袖：薄衣袖。　②共：通"供"，给，使得。绕梁：即"余音绕梁"。　③远：远处，远方。

【解说】　风舞动着人们轻薄的衣袖，传送着美妙的歌声，使枝影摇乱，吹送来远处阵阵的花香。风本无形，此诗描写了"舞"、"歌"、"枝"、"花"在风吹动下的各种动态，使人看得到，听得到，闻得到，生动形象。

yě wàng
野望

wáng jì
王绩

dōng gāo bó mù wàng
东皋薄暮望，
xǐ yǐ yù hé yī
徙倚欲何依。
shù shù jiē qiū sè
树树皆秋色，
shān shān wéi luò huī
山山唯落晖。
mù rén qū dú fǎn
牧人驱犊返，
liè mǎ dài qín guī
猎马带禽归。
xiāng gù wú xiāng shí
相顾无相识，
cháng gē huái cǎi wēi
长歌怀采薇。

【注释】①徙倚：徘徊。欲何依：百无聊赖的彷徨心情。　②落晖：夕阳。　③犊：小牛，泛指牛。
④禽：指鸟兽。　⑤长歌怀采薇：指追怀古代采薇而食的隐士伯夷和叔齐。薇，蕨薇。嫩叶和根中的淀粉可以吃。

【解说】傍晚我在东皋眺望，心里感到彷徨寂寞。所有的树木都染上了枯黄的颜色，群山只有夕阳的余晖。牧童赶着群牛回村，猎马驮着猎物归来。看到的人都不认识，这使我更怀念古代的隐士伯夷和叔齐了。

yǒng é
咏鹅

luò bīn wáng
骆宾王

é é é
鹅 鹅 鹅，
qū xiàng xiàng tiān gē
曲 项 向 天 歌。
bái máo fú lù shuǐ
白 毛 浮 绿 水，
hóng zhǎng bō qīng bō
红 掌 拨 清 波。

【注释】 ①曲项：弯曲的脖子。 ②拨清波：划水。

【解说】 鹅呀鹅，弯着脖子向天欢叫。洁白的羽毛漂浮在碧绿的水面上，红红的脚掌拨动着清清的水波。诗中白鹅游水时的形象和悠然自得的神态生动逼真。相传诗人写这首诗时还只有七岁。

易水送别
yì shuǐ sòng bié

骆宾王
luò bīn wáng

此地别燕丹，
cǐ dì bié yān dān

壮士发冲冠。
zhuàng shì fà chōng guān

昔时人已没，
xī shí rén yǐ mò

今日水犹寒。
jīn rì shuǐ yóu hán

【注释】 ①易水:河流名,在今河北省易县。 ②燕丹:燕国的太子,名丹。 ③冠:帽子。 ④没:死。

【解说】 当年荆轲在这里告别燕太子丹入秦刺杀秦王,临行时,壮士慷慨激昂,怒发冲冠。如今古代的壮士早已死去,但这里的水还是像当年一样冰冷。这首诗与一般的送别诗的那种伤感情绪不同,诗人对古代壮士的追怀,似乎在激励友人也要学习荆轲去干一番事业。

fēng
风

lǐ qiáo
李峤

jiě luò sān qiū yè
解 落 三 秋 叶，
néng kāi èr yuè huā
能 开 二 月 花。
guò jiāng qiān chǐ làng
过 江 千 尺 浪，
rù zhú wàn gān xié
入 竹 万 竿 斜。

【注释】 ①三秋：秋季。 ②二月：农历二月，指春季。

【解说】 这是一首构思巧妙的咏风诗。风能吹落秋天的树叶，能吹开春天的花儿，吹过江河时能掀起滚滚浪涛，吹进竹林时能把万竿翠竹吹得歪歪斜斜。诗人通过"三"、"二"、"千"、"万"这几个数字巧妙的组合，使人形象地感受到风在自然界的作用。

中秋夜 zhōng qiū yè

李峤 lǐ qiáo

圆 魄 上 寒 空，
yuán pò shàng hán kōng

皆 言 四 海 同。
jiē yán sì hǎi tóng

安 知 千 里 外，
ān zhī qiān lǐ wài

不 有 雨 兼 风？
bù yǒu yǔ jiān fēng

【注释】 ①圆魄：指中秋圆月。魄，月亮。寒空：寒冷的高空、天上。 ②安知：哪里知道。 ③不：没。

【解说】 天上升起一轮明月，都说到处是一样的月色。哪里知道远在千里之外，就没有暴风骤雨呢？诗人借咏中秋的月亮，来表明世上任何事物总是千差万别，不可能一模一样。

正月十五夜
zhēng yuè shí wǔ yè

苏味道 sū wèi dào

huǒ shù yín huā hé
火 树 银 花 合，

xīng qiáo tiě suǒ kāi
星 桥 铁 锁 开。

àn chén suí mǎ qù
暗 尘 随 马 去，

míng yuè zhú rén lái
明 月 逐 人 来。

yóu jì jiē nóng lǐ
游 妓 皆 秾 李，

xíng gē jìn luò méi
行 歌 尽 落 梅。

jīn wú bù jìn yè
金 吾 不 禁 夜，

yù lòu mò xiāng cuī
玉 漏 莫 相 催。

【注释】 ①火树银花：树间缀以明灯,吐出灿烂的光华。合：灯光四望相连。 ②星桥：形容灯影照耀下城河上的桥。 ③游妓：歌女。秾李：形容姿色、物饰艳丽。 ④金吾：即执金吾,官名,负责京城的戒备防护。 ⑤玉漏：古代的计时用具。

【解说】 正月十五日夜里灯烛通明,烟火灿烂,到处任人通行,大街小巷一片欢腾。马蹄过处尘土飞扬,明月当空似在追随行人。歌女打扮得花枝招展,一面走一面唱着《梅花落》歌曲。禁卫军允许通宵达旦欢庆,计时器呀千万不要催促天明！诗人从写灯光烟火,人群的流连忘返,游乐者的心态,显示了盛唐时期都市繁荣,人民安居乐业。

送杜少府之任蜀州
sòng dù shào fǔ zhī rèn shǔ zhōu

王勃
wáng bó

城阙辅三秦，
chéng què fǔ sān qín

风烟望五津。
fēng yān wàng wǔ jīn

与君离别意，
yǔ jūn lí bié yì

同是宦游人。
tóng shì huàn yóu rén

海内存知己，
hǎi nèi cún zhī jǐ

天涯若比邻。
tiān yá ruò bǐ lín

无为在歧路，
wú wéi zài qí lù

儿女共沾巾。
ér nǚ gòng zhān jīn

【注释】 ①少府：县官名。之任：赴任。 ②城阙：指都城长安。 ③五津：五个渡口，泛指四川，即杜少府要去的地方。 ④宦游：离家在外作官。 ⑤歧路：岔路，指分手之处。

【解说】 在雄踞三秦之地的长安，遥望烟雾迷茫的五津。就要和你离别，心中有许多感想。我们都是为官在外的人，四海之内只要有你这个知心朋友在，即使远在天涯也犹如近邻一般。不要在分手处的路口，像伤离惜别的青年男女那样泪湿衣襟。诗的开头两句概括了送别的地方和友人将要去的地方，场景壮阔，写得很有气势。后面几句是宽慰行者的话，充分表达了诗人广阔的胸襟和豪爽的气概。

shān zhōng
山中

wáng bó
王 勃

cháng jiāng bēi yǐ zhì
长 江 悲 已 滞，

wàn lǐ niàn jiāng guī
万 里 念 将 归。

kuàng shǔ gāo fēng wǎn
况 属 高 风 晚，

shān shān huáng yè fēi
山 山 黄 叶 飞。

【注释】 ①悲：顾念，怀想。已滞：久留，滞留太久了。已，甚，太。 ②高风晚：深秋的风。高风，秋风。

【解说】 望着长江滚滚东去，不禁使我想起自己滞留外乡已太久了，正思念着万里之遥的家乡准备归去，何况又正当秋风四起，山中已是落叶飘零的时节。这首诗前两句抒情，后两句写景，情景交融，深切地表达了诗人的思归之情。

从军行

cóng jūn xíng

yáng jiǒng
杨 炯

fēng huǒ zhào xī jīng
烽 火 照 西 京，

xīn zhōng zì bù píng
心 中 自 不 平。

yá zhāng cí fèng què
牙 璋 辞 凤 阙，

tiě qí rào lóng chéng
铁 骑 绕 龙 城。

xuě àn diāo qí huà
雪 暗 凋 旗 画，

fēng duō zá gǔ shēng
风 多 杂 鼓 声。

nìng wéi bǎi fū zhǎng
宁 为 百 夫 长，

shèng zuò yī shū shēng
胜 作 一 书 生。

【注释】 ①西京：长安。 ②牙璋：古代派兵用的兵符。凤阙：皇宫，这里指长安。 ③凋旗画：指军旗上的彩画暗淡失色。凋，指褪色。 ④宁：宁愿。百夫长：指下级军官。

【解说】 烽火照着京都长安，我心中难以平静。军令从皇宫中传出，将军率领精锐的骑兵包围敌城。大雪纷飞使军旗黯然失色，狂风怒号夹杂着战鼓声音。我宁愿做个百夫长，也胜过做书生。全诗写得雄浑激昂，表现了诗人希望从军杀敌的豪情壮志。

12

dù hàn jiāng
渡汉江

sòng zhī wèn
宋之问

lǐng wài yīn shū duàn
岭外音书断，

jīng dōng fù lì chūn
经冬复历春。

jìn xiāng qíng gèng qiè
近乡情更怯，

bù gǎn wèn lái rén
不敢问来人。

【注释】 ①汉江：指襄阳附近的一段汉水。 ②岭外：五岭以南。音书：音信。断：中断。 ③近：临近，靠近。

【解说】 这首诗把诗人被流放归乡时那种复杂心情表现得细致、真切。长期客居异地，与亲人断绝了音讯。现在离家愈近，心里反而害怕起来，甚至不敢向家乡人打听消息。透过"情更怯"和"不敢问"，可以强烈地感受到诗人因久离故乡而造成的精神痛苦。

dēng yōu zhōu tái gē

登 幽 州 台 歌

chén zǐ áng

陈子昂

qián bù jiàn gǔ rén
前 不 见 古 人，
hòu bù jiàn lái zhě
后 不 见 来 者。
niàn tiān dì zhī yōu yōu
念 天 地 之 悠 悠，
dú chuàng rán ér tì xià
独 怆 然 而 涕 下。

【注释】　①幽州台：又名蓟北楼，传说中燕昭王为招纳贤才所筑的黄金台。　②悠悠：无穷无尽的意思。　③怆然：悲痛伤感的样子。涕：眼泪。

【解说】　古代的贤明君主已不可见，后来的贤君也来不及见到，宇宙茫茫，大地苍苍，我是生不逢时，真叫人悲从中生，泪如雨下。诗人独登高台凭吊古遗址，抒发了寂寞悲愤的情绪和怀才不遇的痛苦。

yǒng liǔ
咏 柳

hè zhī zhāng
贺 知 章

bì yù zhuāng chéng yī shù gāo
碧 玉 妆 成 一 树 高，

wàn tiáo chuí xià lǜ sī tāo
万 条 垂 下 绿 丝 绦。

bù zhī xì yè shuí cái chū
不 知 细 叶 谁 裁 出，

èr yuè chūn fēng sì jiǎn dāo
二 月 春 风 似 剪 刀。

【注释】　①碧玉：形容柳叶的颜色如青绿色的玉石。　②丝绦：用丝编织成的带子。

【解说】　这是一首咏物诗。一株好像用碧玉打扮起来的柳树，万千柳条像丝带一样低垂着。不知道这细长的叶子是谁巧手裁剪出的，原来是那二月的春风就像剪刀般锋利呀。诗人以柳树颂扬春的活力，春为大地换上新妆，春给人们带来了美，春让人们充满希望。诗中充满喜悦之情，立意新巧。

huí xiāng ǒu shū
回 乡 偶 书

hè zhī zhāng
贺 知 章

lí bié jiā xiāng suì yuè duō
离 别 家 乡 岁 月 多,
jìn lái rén shì bàn xiāo mó
近 来 人 事 半 消 磨。
wéi yǒu mén qián jìng hú shuǐ
惟 有 门 前 镜 湖 水,
chūn fēng bù gǎi jiù shí bō
春 风 不 改 旧 时 波。

【注释】 ①近来:亲近的。人事:人和事物,这里指人。消磨:消失,意为故世。 ②镜湖:在浙江省绍兴市会稽山北面。

【解说】 离别家乡已很长时间了,回家后才知道家乡的人事发生了很大的变化。只有门前镜湖的碧水,在春风吹拂下,依然像往日那样漾着清波。诗人回到家乡后,发现亲友多半故世,引起了他对往昔的追忆和无限感慨。

回乡偶书
huí xiāng ǒu shū

贺知章
hè zhī zhāng

少 小 离 家 老 大 回，
shào xiǎo lí jiā lǎo dà huí

乡 音 无 改 鬓 毛 衰。
xiāng yīn wú gǎi bìn máo cuī

儿 童 相 见 不 相 识，
ér tóng xiāng jiàn bù xiāng shí

笑 问 客 从 何 处 来。
xiào wèn kè cóng hé chù lái

【注释】 ①衰：疏落，指头发白了，少了。

【解说】 小时候离开家乡直到老了才回来，虽然口音没有改变，但头发已经疏落变白了。村里的孩子们见了我都不认识，他们围着我，笑着问我是从什么地方来的。此诗抒发了诗人久离家乡终于回来时的喜悦心情，感情自然、真切，语言质朴、天真，极富生活情趣。

幽州夜饮
yōu zhōu yè yǐn

张说
zhāng yuè

凉风吹夜雨，
liáng fēng chuī yè yǔ

萧瑟动寒林。
xiāo sè dòng hán lín

正有高堂宴，
zhèng yǒu gāo táng yàn

能忘迟暮心？
néng wàng chí mù xīn

军中宜剑舞，
jūn zhōng yí jiàn wǔ

塞上重笳音。
sài shàng zhòng jiā yīn

不作边城将，
bù zuò biān chéng jiàng

谁知恩遇深？
shuí zhī ēn yù shēn

【注释】　①幽州：在今北京市西南。　②萧瑟：风吹树木发出的声音。　③剑舞：即舞剑。　④笳：胡笳，一种乐器。　⑤恩遇：指皇帝给予的恩宠。

【解说】　秋天的凉风吹动夜雨，吹动清冷的树木。此时，高大的厅堂里正在举行宴会，大家又怎能忘记老军人的雄心壮志。军营中应舞剑助兴，边塞上则看重胡笳的音调。如果不在边城做将领，又怎知皇上的恩宠是如此之深呢。诗中表现了守边关将领的壮志豪情。

18

送梁六自洞庭山
sòng liáng liù zì dòng tíng shān

zhāng yuè
张 说

bā líng yī wàng dòng tíng qiū
巴 陵 一 望 洞 庭 秋，

rì jiàn gū fēng shuǐ shàng fú
日 见 孤 峰 水 上 浮。

wén dào shén xiān bù kě jiē
闻 道 神 仙 不 可 接，

xīn suí hú shuǐ gòng yōu yōu
心 随 湖 水 共 悠 悠。

【注释】 ①洞庭山：即君山，在洞庭湖中。 ②巴陵：在现在湖南岳阳。 ③接：接近。
【解说】 这是一首送别诗。在巴陵放眼望洞庭秋色，每日可见君山孤零零地飘浮在水上。我和你分别后就像难和神仙相遇一样，怀念的心绪如同这浩瀚的湖水一般悠远深长。

19

边词 biān cí

张敬忠 zhāng jìng zhōng

五原春色旧来迟，
wǔ yuán chūn sè jiù lái chí

二月垂杨未挂丝。
èr yuè chuí yáng wèi guà sī

即今河畔冰开日，
jí jīn hé pàn bīng kāi rì

正是长安花落时。
zhèng shì cháng ān huā luò shí

【注释】　①五原：今内蒙古自治区五原县。旧来：自古以来。　②未挂丝：指柳树还未吐绿挂丝。

【解说】　五原的春天总是来得很晚，一直到二月，垂杨的枝条还未萌发绿色的嫩芽。现在黄河岸边的冰冻开始融化，可长安城里却已是落花的时节。诗人通过对边地春迟的描写，表现自己对京都长安的思念，语言简朴而情切，表达委婉而感人。

hú kǒu wàng lú shān pù bù shuǐ
湖口望庐山瀑布水

zhāng jiǔ líng
张九龄

wàn zhàng hóng quán luò
万 丈 红 泉 落，

tiáo tiáo bàn zǐ fēn
迢 迢 半 紫 氛。

bēn liú xià zá shù
奔 流 下 杂 树，

sǎ luò chū chóng yún
洒 落 出 重 云。

rì zhào hóng ní sì
日 照 虹 霓 似，

tiān qīng fēng yǔ wén
天 清 风 雨 闻。

líng shān duō xiù sè
灵 山 多 秀 色，

kōng shuǐ gòng yīn yūn
空 水 共 氤 氲。

【注释】　①红泉：指阳光照耀下的瀑布。　②迢迢：形容瀑布之长。紫氛：紫色的水气。　③虹霓：阳光射入空中的水珠，经过折射、反射而成的自然现象。　④灵山：仙山，指庐山。　⑤氤氲：形容水气弥漫流动。

【解说】　万丈瀑布飞流直下，仿佛从天上落下，四周呈现半红半紫的雾气。它穿过杂树而直下，它穿过重重云雾。阳光照射上去像一条彩色的虹霓，在这晴朗的天气里，又似乎听到风雨的声响。这庐山就像仙山一样，多么美丽呵，烟云与水气融成一片。诗人通过对庐山瀑布的赞美，抒发了胸中的豪情壮志。

wàng yuè huái yuǎn
望 月 怀 远

zhāng jiǔ líng
张 九 龄

hǎi shàng shēng míng yuè
海 上 生 明 月，
tiān yá gòng cǐ shí
天 涯 共 此 时。
qíng rén yuàn yáo yè
情 人 怨 遥 夜，
jìng xī qǐ xiāng sī
竟 夕 起 相 思。
miè zhú lián guāng mǎn
灭 烛 怜 光 满，
pī yī jué lù zī
披 衣 觉 露 滋。
bù kān yíng shǒu zèng
不 堪 盈 手 赠，
huán qǐn mèng jiā qī
还 寝 梦 佳 期。

【注释】 ①天涯：天边，远方。 ②情人：多情的人。 ③竟夕：整夜。 ④怜：爱。 ⑤露滋：露水多。 ⑥不堪：不能。盈手：满手。

【解说】 海上升起了皎洁的月亮，我和远在天边的亲人都在此时翘首仰望。多情的人怨长夜漫漫，整夜相思难眠啊！于是吹灭蜡烛，披衣步出门庭，望着天上的明月，站立的时间长了，露水把衣服也沾湿了。我不能捧着月光送给您，以寄相思之情，还是回到卧室，希望在睡梦中与亲人相会。诗人通过"望月"和"怀远"，既写景又写情，情景交融，十分感人。

照镜见白发

zhào jìng jiàn bái fà

张九龄
zhāng jiǔ líng

宿昔青云志，
sù xì qīng yún zhì

蹉跎白发年。
cuō tuó bái fà nián

谁知明镜里，
shuí zhī míng jìng lǐ

形影自相怜。
xíng yǐng zì xiāng lián

【注释】 ①宿昔：从前。 ②蹉跎：光阴白白地过去。 ③形影：指形体和身影。

【解说】 以前我一直就有很大的志向，但岁月流逝，不知不觉已到了满头白发的年龄。谁知道在那明亮的镜子里，只有我的形影自相怜悯。这首诗感情真挚，既抒发了自己的凌云壮志，又感慨自己老来一事无成，很能启发人。

23

dēng guàn què lóu
登 鹳 雀 楼

wáng zhī huàn
王 之 涣

bái rì yī shān jìn
白 日 依 山 尽，

huáng hé rù hǎi liú
黄 河 入 海 流。

yù qióng qiān lǐ mù
欲 穷 千 里 目，

gèng shàng yī céng lóu
更 上 一 层 楼。

【注释】 ①尽：沉没，消失。 ②穷：尽，使达到极点。 ③更：再。

【解说】 太阳挨着山头落下，黄河水滚滚向大海流去。你想望到更远的景色，那就要再登上一层高楼。全诗境界开阔，气势磅礴，蕴含着诗人"登高望远"的胸襟和抱负。诗也说明了只有站得高才能看得远的深刻哲理。

liáng zhōu cí
凉 州 词

wáng zhī huàn
王 之 涣

huáng hé yuǎn shàng bái yún jiān
黄 河 远 上 白 云 间，

yī piàn gū chéng wàn rèn shān
一 片 孤 城 万 仞 山。

qiāng dí hé xū yuàn yáng liǔ
羌 笛 何 须 怨 杨 柳，

chūn fēng bù dù yù mén guān
春 风 不 度 玉 门 关。

【注释】　①凉州词：唐朝的一种歌曲。　②万仞：形容极高。仞，古代长度单位。　③羌笛：古代羌族的一种乐器。杨柳：指《折杨柳》的笛曲。　④玉门关：在今甘肃省敦煌市西北。

【解说】　黄河奔流着，远远地好像与白云相接，一座孤城耸立在高山峻岭之间。羌笛吹着悲伤的《折杨柳》曲，好像在埋怨这荒凉严寒的边陲春光来迟，其实这又何必呢，因为春风是吹不到玉门关来的。全诗描绘了我国古代西北边疆雄伟壮观而又荒凉萧瑟的景象，对长年驻守在此的将士寄予深切的同情。

望洞庭湖赠张丞相

wàng dòng tíng hú zèng zhāng chéng xiàng
望 洞 庭 湖 赠 张 丞 相

mèng hào rán
孟 浩 然

bā yuè hú shuǐ píng
八 月 湖 水 平，

hán xū hùn tài qīng
涵 虚 混 太 清。

qì zhēng yún mèng zé
气 蒸 云 梦 泽，

bō hàn yuè yáng chéng
波 撼 岳 阳 城。

yù jì wú zhōu jí
欲 济 无 舟 楫，

duān jū chǐ shèng míng
端 居 耻 圣 明。

zuò guān chuí diào zhě
坐 观 垂 钓 者，

tú yǒu xiàn yú qíng
徒 有 羡 鱼 情。

【注释】 ①湖水平：湖水与堤岸齐平。 ②涵虚：包含天空。太清：太空。 ③云梦泽：古代大片水洼地，在今湖北省南部。 ④济：渡。 ⑤端居：安居。

【解说】 八月的洞庭湖湖水高涨，与堤岸齐平，天空反照在水中，水天浑然一体。水气弥漫云梦泽，波涛澎湃震动岳阳城。欲渡洞庭没有船，闲居在家有负朝廷恩德。坐着观看湖上垂钓的人，我空有羡慕之情。诗人望湖起兴，表达了自己欲做官而没有人援引推荐的心意。

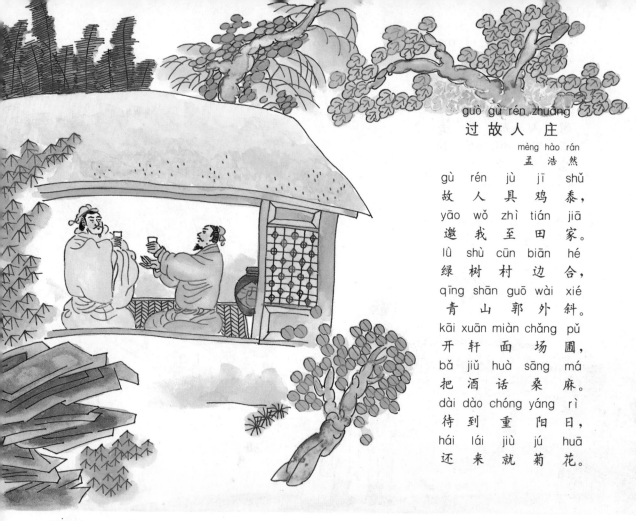

过故人庄 (guò gù rén zhuāng)

孟浩然 (mèng hào rán)

故人具鸡黍，(gù rén jù jī shǔ)
邀我至田家。(yāo wǒ zhì tián jiā)
绿树村边合，(lǜ shù cūn biān hé)
青山郭外斜。(qīng shān guō wài xié)
开轩面场圃，(kāi xuān miàn chǎng pǔ)
把酒话桑麻。(bǎ jiǔ huà sāng má)
待到重阳日，(dài dào chóng yáng rì)
还来就菊花。(hái lái jiù jú huā)

【注释】 ①过：探望。故人：老朋友。 ②具：置办。鸡黍：杀鸡煮黄米饭，农家待客丰盛的饭菜。
③合：围起来。 ④郭：外城墙。 ⑤轩：窗户。圃：菜园。 ⑥就：靠近。

【解说】 友人准备了丰盛的农家饭菜，请我到家中去作客。绿树环绕着村庄，青山远在城外隐隐约约。
打开窗户面对谷场和菜园，拿起酒杯边饮边聊种庄稼的事情。等到九月九日那天，我还要再来饮酒赏
菊。诗人抒发了对农家生活的喜爱之情。

sòng zhū dà rù qín
送 朱 大 入 秦

mèng hào rán
孟 浩 然

yóu rén wǔ líng qù
游 人 五 陵 去，

bǎo jiàn zhí qiān jīn
宝 剑 值 千 金。

fēn shǒu tuō xiāng zèng
分 手 脱 相 赠，

píng shēng yī piàn xīn
平 生 一 片 心。

【注释】 ①秦：指长安。 ②五陵：在长安，这里指长安。 ③脱：解下。

【解说】 友人要去长安，分手之际，我把价值千金的宝剑解下赠送给他，这剑寄托着我的良好祝愿。诗人以赠剑来表达对朋友的深情厚谊。

chūn xiǎo
春 晓

mèng hào rán
孟 浩 然

chūn mián bù jué xiǎo
春 眠 不 觉 晓，
chù chù wén tí niǎo
处 处 闻 啼 鸟。
yè lái fēng yǔ shēng
夜 来 风 雨 声，
huā luò zhī duō shǎo
花 落 知 多 少？

【注释】 ①晓：天亮。

【解说】 春天的夜晚睡得多香，不知不觉天就亮了。醒来听到到处是鸟叫声。昨天夜里刮风下雨，又不知道有多少花朵要被风雨打落。全诗写春天夜雨晓晴，诗人梦醒后的感受。淡淡几笔，就把春天的景色以及诗人对春光的喜爱和惜花的心情写出来了。

sù jiàn dé jiāng
宿 建 德 江
mèng hào rán
孟 浩 然

yí zhōu bó yān zhǔ
移 舟 泊 烟 渚，
rì mù kè chóu xīn
日 暮 客 愁 新。
yě kuàng tiān dī shù
野 旷 天 低 树，
jiāng qīng yuè jìn rén
江 清 月 近 人。

【注释】 ①建德江：新安江流经今浙江建德梅城的一段。 ②泊：停船靠岸。渚：江中小块陆地。
③天低树：天幕低垂，好像和树木相连。
【解说】 划着小船停靠在烟雾蒙蒙的沙洲边。太阳落山了，更增添漂泊他乡的游子的新愁。原野空旷
辽远，天幕低垂，连着树木，江水清澈平静，只有水中的月亮跟船上的孤客格外亲近。诗中淡淡的乡思，
脉脉的烦愁，与幽清的江边晚景融在一起，组成了一幅清丽的图画。

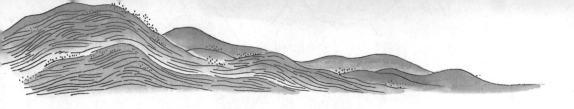

渡浙江问舟中人
dù zhè jiāng wèn zhōu zhōng rén

mèng hào rán
孟 浩 然

cháo luò jiāng píng wèi yǒu fēng
潮 落 江 平 未 有 风，

piān zhōu gòng jì yǔ jūn tóng
扁 舟 共 济 与 君 同。

shí shí yǐn lǐng wàng tiān mò
时 时 引 领 望 天 末，

hé chù qīng shān shì yuè zhōng
何 处 青 山 是 越 中？

【注释】 ①浙江：即钱塘江。 ②扁舟：小船。 ③济：渡。 ④引领：伸长脖子。天末：天边。 ⑤越中：在今浙江绍兴一带。

【解说】 潮水退去江面平稳没有一丝风，我和你乘着这只小船在江中行驶。不时地伸长脖子望着天边，哪处青山才是我要去的越中？诗人用"时时引领望天末"来表达尽快到达越中的急迫心情，给人留下了深刻的印象。

31

cóng jūn xíng
从 军 行

wáng chāng líng
王 昌 龄

qīng hǎi cháng yún àn xuě shān
青 海 长 云 暗 雪 山，
gū chéng yáo wàng yù mén guān
孤 城 遥 望 玉 门 关。
huáng shā bǎi zhàn chuān jīn jiǎ
黄 沙 百 战 穿 金 甲，
bù pò lóu lán zhōng bù huán
不 破 楼 兰 终 不 还。

【注释】 ①青海：指青海湖。长云：漫天的浓云。 ②玉门关：在今甘肃省敦煌市西北。 ③穿：磨穿。
金甲：铠甲。 ④楼兰：汉代时西域国名。这里借指侵扰西北边境的敌人。

【解说】 青海湖上的乌云一片连着一片，遮住了雪山，站在孤城上遥望远处的玉门关。守卫边疆的将
士们在大沙漠里打了许多仗，铁片做的战衣也磨穿了，他们决心不打败敌人不回家。诗中表现了戍边
将士的豪情壮志。全诗格调悲壮，洋溢着英雄主义的气概。

从军行
cóng jūn xíng

王 昌 龄
wáng chāng líng

琵 琶 起 舞 换 新 声，
pí pá qǐ wǔ huàn xīn shēng

总 是 关 山 旧 别 情。
zǒng shì guān shān jiù bié qíng

缭 乱 边 愁 听 不 尽，
liáo luàn biān chóu tīng bù jìn

高 高 秋 月 照 长 城。
gāo gāo qiū yuè zhào cháng chéng

【注释】 ①从军：参军。行：古代歌曲的一种体裁。 ②关山：边塞，这里指守边的人。 ③边愁：守卫边疆的愁苦。

【解说】 随着舞蹈的变换，琵琶又奏出新的曲调。然而不管曲调如何翻新，内容总是守边将士的那些离愁别情，听不尽的曲调扰得人心烦意乱。徘徊四望，只见一轮秋月照耀着万里长城。全诗一波三折，最后一句"高高秋月照长城"离情入景，写出无言的乡思和离情，使诗情得到升华。

33

cóng jūn xíng
从 军 行

wáng chāng líng
王 昌 龄

dà mò fēng chén rì sè hūn
大 漠 风 尘 日 色 昏，
hóng qí bàn juǎn chū yuán mén
红 旗 半 卷 出 辕 门。
qián jūn yè zhàn táo hé běi
前 军 夜 战 洮 河 北，
yǐ bào shēng qín tǔ yù hún
已 报 生 擒 吐 谷 浑。

【注释】 ①大漠：广阔无边的沙漠。 ②辕门：军营大门。 ③洮河：在今甘肃省。 ④吐谷浑：古代少数民族部落，这里借指敌人的首领。

【解说】 茫茫的沙漠中风尘滚滚，日色昏暗，风卷战旗将士们离营出征。夜晚，前面的部队在洮河北面与敌人交战，捷报传来，已活捉了敌军首领。诗描述了一次夜袭成功的经过，有声有色，读来令人振奋。

chū sài
出　塞

wáng chāng líng
王　昌　龄

qín shí míng yuè hàn shí guān
秦 时 明 月 汉 时 关，

wàn lǐ cháng zhēng rén wèi huán
万 里 长 征 人 未 还。

dàn shǐ lóng chéng fēi jiàng zài
但 使 龙 城 飞 将 在，

bù jiào hú mǎ dù yīn shān
不 教 胡 马 度 阴 山。

【注释】 ①出塞：乐府诗的旧题目。 ②龙城飞将：指汉武帝时的镇关大将卫青和李广。 ③胡马：指敌人的军队。阴山：内蒙古自治区中部的山脉。

【解说】 这明月和边关依然是秦汉时的明月和边关，但悠悠岁月，战争不断，远戍边关的将士还未回来。只要有像汉朝大将卫青、李广那样勇敢的将军，就不会让敌人的战马越过阴山。全诗写得气魄宏伟，意境阔大，反映了诗人和边关将士们的共同愿望。

cǎi lián qǔ
采莲曲

wáng chāng líng
王 昌 龄

hé yè luó qún yī sè cái
荷 叶 罗 裙 一 色 裁，

fú róng xiàng liǎn liǎng biān kāi
芙 蓉 向 脸 两 边 开。

luàn rù chí zhōng kàn bù jiàn
乱 入 池 中 看 不 见，

wén gē shǐ jué yǒu rén lái
闻 歌 始 觉 有 人 来。

【注释】　①罗裙：丝绸的裙子。　②芙蓉：即荷花。　③乱：混杂。

【解说】　这首诗描写采莲姑娘在池塘采莲的情景。采莲姑娘身着和荷叶一样颜色的裙子，姑娘红润的脸庞像两边盛开的荷花。采莲小船进入荷塘中，哪是荷叶荷花，哪是姑娘的身影，分也分不清，只听到姑娘们唱起了《采莲曲》才知道她们出来了。前两句诗以荷叶荷花映衬姑娘们的美丽；后两句写姑娘们欢快的采莲劳动。

闺怨 guī yuàn

wáng chāng líng
王 昌 龄

guī zhōng shào fù bù zhī chóu
闺 中 少 妇 不 知 愁，

chūn rì níng zhuāng shàng cuì lóu
春 日 凝 妆 上 翠 楼。

hū jiàn mò tóu yáng liǔ sè
忽 见 陌 头 杨 柳 色，

huǐ jiào fū xù mì fēng hóu
悔 教 夫 婿 觅 封 侯。

【注释】 ①闺：女子的居室。 ②凝妆：精心地打扮。翠楼：青楼，指豪华精致的楼房。 ③陌头：田间小路。

【解说】 居住在闺房中的青年妇女不知道忧愁，精心打扮后登上楼房观赏春色。忽然看见路边青青的杨柳，便联想到与丈夫分别，孤单寂寞，懊悔当初不该鼓励丈夫从军远征、立功封侯。诗中生动描绘出富家少妇的情态。

卢溪别人
lú xī bié rén

王 昌 龄
wáng chāng líng

武 陵 溪 口 驻 扁 舟，
wǔ líng xī kǒu zhù piān zhōu

溪 水 随 君 向 北 流。
xī shuǐ suí jūn xiàng běi liú

行 到 荆 门 上 三 峡，
xíng dào jīng mén shàng sān xiá

莫 将 孤 月 对 猿 愁。
mò jiāng gū yuè duì yuán chóu

【注释】　①卢溪：河的名字。　②三峡：长江三峡。　③莫将：不要与。

【解说】　这是一首送别诗。您的小船在武陵溪口停泊了，溪水还要伴随您向北流去。行驶到荆门进入三峡的时候，不要在月光下对着猿猴发愁。诗中通过诗人对友人旅程和途中将遇到的境况的设想，表达对友人关切的深情。

芙蓉楼送辛渐
fú róng lóu sòng xīn jiàn

wáng chāng líng
王昌龄

hán yǔ lián jiāng yè rù wú
寒 雨 连 江 夜 入 吴，

píng míng sòng kè chǔ shān gū
平 明 送 客 楚 山 孤。

luò yáng qīn yǒu rú xiāng wèn
洛 阳 亲 友 如 相 问，

yī piàn bīng xīn zài yù hú
一 片 冰 心 在 玉 壶。

【注释】 ①芙蓉楼：在今江苏省镇江市西北。 ②连江：连，满。江，长江。吴：与下文的"楚"都指镇江一带地方。 ③平明：早晨。 ④冰心：像冰一样莹洁的心，比喻坚贞纯洁。

【解说】 弥漫着寒意的蒙蒙烟雨夜笼罩着吴地江天，清晨送友人北归时心中感到像楚山一样孤独。洛阳的亲友如果问到我的情况，就说我的心像洁白无瑕的玉壶中藏着的一颗晶莹透亮的冰心。最后一句，以精当的比喻表明诗人永葆高洁品质，成为历代传诵的名句。

送柴侍御
sòng chái shì yù

王昌龄
wáng chāng líng

流水通波接武冈，
liú shuǐ tōng bō jiē wǔ gāng

送君不觉有离伤。
sòng jūn bù jué yǒu lí shāng

青山一道同云雨，
qīng shān yī dào tóng yún yǔ

明月何曾是两乡？
míng yuè hé céng shì liǎng xiāng

【注释】　①侍御：官职名。　②通波：波路相通。武冈：县名，在今湖南省西部。
【解说】　河水的波浪连接着武冈，送你不觉有离别的伤感。你我有一路相连的青山共沐风雨，同顶一轮明月又何曾是身处两乡呢？诗人以开朗豁达的胸襟，安慰、劝告朋友：我们的友谊是永久长存的，不论分离在什么地方，我们的心是永远在一起的。

终南望余雪 zhōng nán wàng yú xuě

祖咏 zǔ yǒng

终南阴岭秀，
zhōng nán yīn lǐng xiù

积雪浮云端。
jī xuě fú yún duān

林表明霁色，
lín biǎo míng jì sè

城中增暮寒。
chéng zhōng zēng mù hán

【注释】 ①终南：山名，在今陕西省西安市南面。 ②阴岭：山的北面。 ③林表：林梢。霁色：雨雪停后出现的阳光。

【解说】 这是一首描绘雪景的诗。遥看终南山北面的秀色，峰顶的积雪像是浮在云端一样。树梢上闪烁着雨后初晴夕阳的余晖，长安城内，暮色中又增添了几分清寒。此诗通过对山林、白雪、霁色的描写，勾画出一幅终南山的"雪景寒林图"。

shǐ zhì sài shàng
使至塞上

wáng wéi
王 维

dān chē yù wèn biān
单 车 欲 问 边，
shǔ guó guò jū yán
属 国 过 居 延。
zhēng péng chū hàn sài
征 蓬 出 汉 塞，
guī yàn rù hú tiān
归 雁 入 胡 天。
dà mò gū yān zhí
大 漠 孤 烟 直，
cháng hé luò rì yuán
长 河 落 日 圆。
xiāo guān féng hòu qí
萧 关 逢 候 骑，
dū hù zài yān rán
都 护 在 燕 然。

【注释】 ①属国：汉时称归附的地区为属国。居延：汉代属国名，在今甘肃省张掖县西北。 ②萧关：在今宁夏回族自治区固原县东南。候骑：骑马的侦察兵。 ③都护：边疆最高统帅。燕然：山名，这里借指前线指挥部。

【解说】 诗写诗人奉命出塞慰问守边将士的沿途所见。乘着轻车要去慰问边塞将士。我像随风而飞的蓬草，像北去的大雁，经居延，过边关。眼前是一望无际的荒凉的大沙漠，报敌情的烽火台升起一股笔直的浓烟；横贯沙漠滔滔而来的黄河上空，悬浮着一轮火红的夕阳。到了萧关，遇到的侦察兵告诉我，统帅正在燕然前线指挥。诗中所写的大漠辽阔悲壮的图景，真是千古壮观。

wǎng chuān xián jū zèng péi xiù cái dí
辋 川 闲 居 赠 裴 秀 才 迪

wáng wéi
王 维

hán shān zhuǎn cāng cuì
寒 山 转 苍 翠，

qiū shuǐ rì chán yuán
秋 水 日 潺 湲。

yǐ zhàng chái mén wài
倚 杖 柴 门 外，

lín fēng tīng mù chán
临 风 听 暮 蝉。

dù tóu yú luò rì
渡 头 余 落 日，

xū lǐ shàng gū yān
墟 里 上 孤 烟。

fù zhí jiē yú zuì
复 值 接 舆 醉，

kuáng gē wǔ liǔ qián
狂 歌 五 柳 前。

【注释】 ①墟里：村落。孤烟：炊烟。 ②复值：又逢。接舆：楚国隐士，诗中借指裴迪。 ③五柳：即田园诗人陶渊明。这里王维借指自己。

【解说】 寒秋，天色渐晚，山色愈来愈青，山间泉水不停歇地潺潺作响。我拄着拐杖站在柴门外，迎着晚风听蝉鸣唱。河渡口笼在落日的残照里，村落里升起袅袅的炊烟。又逢这位"接舆"沉醉，狂歌在我这位"五柳先生"的面前。这首诗写秋日傍晚乡间的幽静风光和诗人的闲居生活。

shān jū qiū míng
山 居 秋 暝

wáng wéi
王 维

kōng shān xīn yǔ hòu
空 山 新 雨 后，
tiān qì wǎn lái qiū
天 气 晚 来 秋。
míng yuè sōng jiān zhào
明 月 松 间 照，
qīng quán shí shàng liú
青 泉 石 上 流。
zhú xuān guī huàn nǚ
竹 喧 归 浣 女，
lián dòng xià yú zhōu
莲 动 下 渔 舟。
suí yì chūn fāng xiē
随 意 春 芳 歇，
wáng sūn zì kě liú
王 孙 自 可 留。

【注释】 ①暝：傍晚。 ②浣女：洗衣服的姑娘。 ③歇：消散。 ④王孙：原指贵族子弟，后也泛指隐居的人。这里指作者自己。

【解说】 这是一首著名的田园诗，描写山村秋日雨后晚晴的迷人景色和居民的生活。山上刚下过一场雨，空气显得特别凉爽。皎洁的月光在松林间洒落，清清的泉水从石头上缓缓流过。竹林里响起一片嘻笑喧闹声，原来是洗衣归来的姑娘们，水塘里莲花摇动，原来是有一条渔船轻盈地下水。我不在意春天景色已经过去，只想继续留住在这山居中欣赏这迷人的风光。全诗境界空明澄澈，中间四句句句如画。

44

guān liè
观 猎

wáng wéi
王 维

fēng jìng jiǎo gōng míng
风 劲 角 弓 鸣，

jiāng jūn liè wèi chéng
将 军 猎 渭 城。

cǎo kū yīng yǎn jí
草 枯 鹰 眼 疾，

xuě jìn mǎ tí qīng
雪 尽 马 蹄 轻。

hū guò xīn fēng shì
忽 过 新 丰 市，

huán guī xì liǔ yíng
还 归 细 柳 营。

huí kàn shè diāo chù
回 看 射 雕 处，

qiān lǐ mù yún píng
千 里 暮 云 平。

【注释】　①角弓：装饰着兽角的硬弓。　②渭城：古时的咸阳。　③新丰市：故址在今陕西省临潼县东北。　④细柳营：在今陕西长安县。　⑤暮云平：傍晚的云层与大地连成一片。

【解说】　疾风伴着角弓鸣声，将军狩猎在渭城郊外。野草枯黄，猎鹰的目光更显锐利；大雪融化后，马蹄格外轻快；转眼过了新丰市，又快速地回到了细柳营。勒马回头眺望射猎大雕的地方，傍晚千里层云与大地连成一片，开阔无垠。全诗表现了将军射猎时的豪迈气概。

lù zhài
鹿柴

wáng wéi
王 维

kōng shān bù jiàn rén
空 山 不 见 人，
dàn wén rén yǔ xiǎng
但 闻 人 语 响。
fǎn yǐng rù shēn lín
返 景 入 深 林，
fù zhào qīng tái shàng
复 照 青 苔 上。

【注释】 ①鹿柴：终南山下辋川的一个地名。柴，通"寨"。 ②但：只。 ③返景：夕阳返照的光。景，古时同"影"。

【解说】 空荡荡的山里不见人的踪影，只是偶尔能听到人说话的声音。夕阳透过密叶的间隙，把余辉洒在斑斑驳驳的青苔上。诗人通过空山传语和深林返照，给我们描绘了一个十分幽静的境界。

zhú lǐ guǎn
竹里馆
wáng wéi
王维

dú zuò yōu huáng lǐ
独坐幽篁里，
tán qín fù cháng xiào
弹琴复长啸。
shēn lín rén bù zhī
深林人不知，
míng yuè lái xiāng zhào
明月来相照。

【注释】　①幽篁：幽深的竹林。篁，竹林。　②啸：撮口发出清脆的声响。
【解说】　独自坐在幽深的竹林里，弹一会儿琴，又仰天长啸，密林里没有人知道我在这里，只有一轮明
月与我相伴。这是诗人在丛竹密林中闲适生活的写照。

niǎo míng jiàn
鸟 鸣 涧

wáng wéi
王 维

rén xián guì huā luò
人 闲 桂 花 落,

yè jìng chūn shān kōng
夜 静 春 山 空。

yuè chū jīng shān niǎo
月 出 惊 山 鸟,

shí míng chūn jiàn zhōng
时 鸣 春 涧 中。

【注释】　①鸟鸣涧:在王维朋友的别墅附近。涧,两山间的水沟。　②闲:静寂。　③空:空寂。　④时鸣:不时的啼叫。

【解说】　这是一首描绘春天山林美丽夜景的诗。在这个寂无人声的地方,芬芳的桂花轻轻飘落,静静的夜晚,使这春天的山林更加空寂。月亮升起,惊动了正在树丛里栖息的山鸟,它们清脆的叫声在空旷的山涧中传响。诗人用花落、月出、鸟鸣等活动着的景物,突出地显示了月夜春山的幽静,取得了以动衬静的艺术效果。

莲花坞

lián huā wù

wáng wéi
王维

rì rì cǎi lián qù
日日采莲去，

zhōu cháng duō mù guī
洲长多暮归。

nòng gāo mò jiàn shuǐ
弄篙莫溅水，

wèi shī hóng lián yī
畏湿红莲衣。

【注释】 ①坞：这里指在水边建筑的停船的地方。 ②洲：水中的陆地。 ③篙：撑船的工具。

【解说】 这首诗写江南采莲的情景，诗人通过对采莲场景和采莲女的心理描写，把江南的秀丽和采莲女的娇态写了出来，表现了诗人对自然的热爱。每日去采莲子，只因洲长而常常到傍晚才能回来。撑篙时不要溅起水花，只怕弄湿了红红的衣衫。

zá shī
杂诗

wáng wéi
王 维

jūn zì gù xiāng lái
君 自 故 乡 来，
yīng zhī gù xiāng shì
应 知 故 乡 事。
lái rì qǐ chuāng qián
来 日 绮 窗 前，
hán méi zhuó huā wèi
寒 梅 着 花 未？

【注释】　①君：对别人的尊称。　②绮窗：有雕饰的窗户。　③着花：开花。

【解说】　你从我的家乡来，应该知道我家乡的情况。请你告诉我：我家窗户下的那株寒梅开花了没有？
诗人用质朴平淡的白描手法，通过对话，表达了诗人对故乡思念的心情，写得亲切、自然。

xiāng sī
相　思

wáng wéi
王　维

hóng dòu shēng nán guó
红　豆　生　南　国，

chūn lái fā jǐ zhī
春　来　发　几　枝？

yuàn jūn duō cǎi xié
愿　君　多　采　撷，

cǐ wù zuì xiāng sī
此　物　最　相　思。

【注释】　①红豆：红豆树的果实，鲜红浑圆，古代文学作品用它来象征相思，又称为相思子。　②采撷：摘取。

【解说】　红豆树生长在南方，春天到了生出了多少枝红豆？希望你多采一些红豆，因为它最能引人相思。诗人借物抒情，句句话儿不离红豆，委婉含蓄，把相思之情表达得入木三分。

51

shān zhōng
山　中

wáng wéi
王　维

jīng xī bái shí chū
荆　溪　白　石　出，
tiān hán hóng yè xī
天　寒　红　叶　稀。
shān lù yuán wú yǔ
山　路　元　无　雨，
kōng cuì shī rén yī
空　翠　湿　人　衣。

【注释】　①荆溪：水名。　　②元：本来，原来。　　③空：山谷。

【解说】　荆溪的水浅了，露出几块白石来；天气变冷了，山中红叶也稀少了。山路上本来没有下过雨，可这满山的翠色好像绿得要滴落下来，行人的衣服都要被打湿似的。此诗写初冬景色，但没有萧瑟荒凉之感，而且"白石""红叶""空翠"组成的图景，色彩明丽，富有生趣。

tián yuán lè
田 园 乐

wáng wéi
王 维

táo hóng fù hán sù yǔ
桃 红 复 含 宿 雨，
liǔ lù gèng dài chūn yān
柳 绿 更 带 春 烟。
huā luò jiā tóng wèi sǎo
花 落 家 童 未 扫，
yīng tí shān kè yóu mián
莺 啼 山 客 犹 眠。

【注释】 ①宿雨：昨夜下的雨。 ②山客：隐居山庄里的人，这里作者指自己。犹眠：还在睡觉。

【解说】 这首诗写的是作者与大自然亲近的乐趣。桃花的花瓣上还含着昨夜的雨珠，雨后的柳树碧绿一片，笼罩在早上的烟雾之中。被雨打落的花瓣洒满庭院，家童还未起床打扫，黄莺啼鸣，山客还在酣眠。诗人由景生情，令人回味无穷。

shào nián xíng
少 年 行

wáng wéi
王 维

yī shēn néng bò liǎng diāo hú
一 身 能 擘 两 雕 弧，

lǔ qí qiān chóng zhǐ sì wú
虏 骑 千 重 只 似 无。

piān zuò jīn ān tiáo bái yǔ
偏 坐 金 鞍 调 白 羽，

fēn fēn shè shā wǔ chán yú
纷 纷 射 杀 五 单 于。

【注释】 ①擘：拉开，这里指拉弓。 ②虏骑：北方少数民族的骑兵。 ③调白羽：把箭搭在弓上，准备射箭。 ④单于：匈奴族的首领，这里指敌军的将领。

【解说】 这是一首描写战斗场面的诗。一人能拉开两张雕花大弓，敌人的骑兵重重包围，也似入无人之境。侧身坐在金鞍上作好射箭准备，连发数箭，一连射倒几个敌军的将领。诗中的少年形象十分生动，英勇无比。

jiǔ yuè jiǔ rì yì shān dōng xiōng dì
九 月 九 日 忆 山 东 兄 弟

wáng wéi
王 维

dú zài yì xiāng wéi yì kè
独 在 异 乡 为 异 客，

měi féng jiā jié bèi sī qīn
每 逢 佳 节 倍 思 亲。

yáo zhī xiōng dì dēng gāo chù
遥 知 兄 弟 登 高 处，

biàn chā zhū yú shǎo yī rén
遍 插 茱 萸 少 一 人。

【注释】 ①山东：华山以东地区，诗人故乡在这里。 ②登高：登上高处。据说，在九月九日重阳节这天登高可以避灾。 ③茱萸：一种芳香植物。民间有身佩茱萸可以消灾除病的说法。

【解说】 我独自住在远离家乡的地方，每到重阳佳节更加思念自己的亲人。远远地想到故乡的兄弟们身佩茱萸登上高处，却在为少了我一人而怅惘。这是诗人十七岁时写的诗。前两句写诗人想念亲人，后两句写亲人也在思念他。读此诗，令人顿生思亲之感。诗中"每逢佳节倍思亲"一句，概括了人们共同的感受，历来被人传颂。

sòng yuán èr shǐ ān xī
送 元 二 使 安 西
wáng wéi
王 维

wèi chéng zhāo yǔ yì qīng chén
渭 城 朝 雨 浥 轻 尘，
kè shè qīng qīng liǔ sè xīn
客 舍 青 青 柳 色 新。
quàn jūn gèng jìn yī bēi jiǔ
劝 君 更 尽 一 杯 酒，
xī chū yáng guān wú gù rén
西 出 阳 关 无 故 人。

【注释】 ①使：出使。安西：唐朝的安西都护府，在今新疆维吾尔自治区库车县。 ②渭城：秦时咸阳城，汉武帝时称渭城。浥：沾湿。 ③客舍：旅馆。 ④阳关：古关名，在今甘肃省敦煌市西南。

【解说】 渭城的早晨，刚刚下过雨，尘土给雨水沾湿不再飞起，旅舍淋过雨后更加干净，路边的杨柳也更加青翠了。您就要上路了，请您再饮一杯送别酒吧，出了阳关就不容易见到老朋友了。这是一首著名的送别诗，它集中表现了诗人真挚而深厚的惜别之情。

秋浦歌
qiū pǔ gē

李白
lǐ bái

炉火照天地，
lú huǒ zhào tiān dì

红星乱紫烟。
hóng xīng luàn zǐ yān

赧郎明月夜，
nǎn láng míng yuè yè

歌曲动寒川。
gē qǔ dòng hán chuān

【注释】 ①秋浦：在今安徽省贵池县，当时产银、铜的地方。 ②赧郎：指被炉火映红了脸的冶炼工人。

【解说】 这是古诗中难得的描写冶炼工人劳动生活的诗歌。炉火照红了天地，红星在紫烟中飞溅。月光下，炉火映红了工人们的脸膛。他们正在边干边唱，嘹亮的劳动歌声使寒夜秋浦的河水也激起了波澜。诗中劳动的场面热烈，寒夜中冶炼工人劳动热情豪迈，情景真实感人。

jìng yè sī
静 夜 思

lǐ bái
李 白

chuáng qián míng yuè guāng
床 前 明 月 光，
yí shì dì shàng shuāng
疑 是 地 上 霜。
jǔ tóu wàng míng yuè
举 头 望 明 月，
dī tóu sī gù xiāng
低 头 思 故 乡。

【注释】 ①静夜：宁静的夜晚。思：思考，思念。 ②疑是：好像是。 ③举头：抬头。
【解说】 宁静的夜晚，床前那一片净洁洁白的月光，好像是地上铺着的一层白霜。抬头望着天上的一轮明月，不由得使人低头思念起自己的家乡。诗以通俗的语言，自然、细腻地表现了游子思乡的心理过程：由见到疑，由疑到望，由望而思。

jūn xíng
军 行

lǐ bái
李 白

liú mǎ xīn kuà bái yù ān
骝 马 新 跨 白 玉 鞍，
zhàn bà shā chǎng yuè sè hán
战 罢 沙 场 月 色 寒。
chéng tóu tiě gǔ shēng yóu zhèn
城 头 铁 鼓 声 犹 震，
xiá lǐ jīn dāo xuè wèi gān
匣 里 金 刀 血 未 干。

【注释】 ①骝马：黑鬃黑尾巴的红马，骏马的一种。新：刚刚。 ②沙场：指战场。 ③震：响。
【解说】 这首诗描写了一场惊心动魄的战斗刚刚结束的情景。枣红马刚刚装上白玉装饰的马鞍，战士就骑着它出发了。战斗结束的时候天已经很晚，战场上只留下寒冷的月光。城头上催战的鼓声仍在旷野上回荡，刀鞘里的钢刀血迹还没有干。诗人寥寥数笔，就把将士们的英武气概，胜利者的神态，生动地描绘出来。

越女词
yuè nǚ cí

李白
lǐ bái

耶溪采莲女，
yé xī cǎi lián nǚ

见客棹歌回。
jiàn kè zhào gē huí

笑入荷花去，
xiào rù hé huā qù

佯羞不出来。
yáng xiū bù chū lái

【注释】 ①耶溪：即若耶溪，在今浙江省绍兴市南面。 ②棹歌：摇着船，唱着歌。 ③佯：假装。

【解说】 在若耶溪遇见一群采莲姑娘，她们见有陌生的客人过来，便唱着渔歌，掉转船头，笑着躲进荷花丛里去，装着怕难为情就不出来了。这首诗以明白如话的语言，塑造了一群天真活泼的采莲少女的形象，人物神态逼真。

峨眉山月歌
é méi shān yuè gē

李白
lǐ bái

峨眉山月半轮秋，
é méi shān yuè bàn lún qiū

影入平羌江水流。
yǐng rù píng qiāng jiāng shuǐ liú

夜发清溪向三峡，
yè fā qīng xī xiàng sān xiá

思君不见下渝州。
sī jūn bù jiàn xià yú zhōu

【注释】 ①半轮秋：指半圆的秋月。 ②君：指峨眉山月。

【解说】 这是诗人二十六岁离开故乡时写的一首抒情诗。峨眉山的上空只看到半轮秋月，月影倒映在流动不停的平羌江上。夜晚，我乘坐小船从清溪出发向三峡驶去，心里想你但被两山遮住了又见不到你，怀着这样依恋的心情去了渝州。全诗优美流畅，意境幽雅宁静。在流动的节奏中，写出了诗人远离故乡时对故乡恋恋不舍的真挚感情。

zèng wāng lún
赠 汪 伦

lǐ bái
李白

lǐ bái chéng zhōu jiāng yù xíng
李白乘舟将欲行，
hū wén àn shàng tà gē shēng
忽闻岸上踏歌声。
táo huā tán shuǐ shēn qiān chǐ
桃花潭水深千尺，
bù jí wāng lún sòng wǒ qíng
不及汪伦送我情。

【注释】 ①将欲行：将要出发。 ②踏歌：用脚步打着拍子唱歌。
【解说】 李白乘坐小船将要出发，忽然听见岸上踏歌的声音。桃花潭水即使有千尺之深，也比不上汪伦对我的友情深！李白要走了，汪伦踏歌送别，李白深受感动，以桃花潭水之深来表达朋友之间的深情厚谊，比喻自然、亲切。

金陵酒肆留别

jīn líng jiǔ sì liú bié

李白
lǐ bái

风吹柳花满店香，
fēng chuī liǔ huā mǎn diàn xiāng

吴姬压酒劝客尝。
wú jī yā jiǔ quàn kè cháng

金陵子弟来相送，
jīn líng zǐ dì lái xiāng sòng

欲行不行各尽觞。
yù xíng bù xíng gè jìn shāng

请君试问东流水，
qǐng jūn shì wèn dōng liú shuǐ

别意与之谁短长？
bié yì yǔ zhī shuí duǎn cháng

【注释】　①酒肆：酒店。　②吴姬：这里指吴地卖酒女。压酒：新酒酿熟时，压紧榨床取酒。　③子弟：年轻的朋友。　④尽觞：干杯。

【解说】　春风吹过，满屋子柳絮花香，侍女捧出新压榨出来的美酒，劝客品尝。年轻的金陵朋友赶来相送，主客举杯共诉衷肠。请你问问东流入海的长江呵，我将告别金陵，这离别的情意，在我们二者之间，究竟谁短谁长？

黄鹤楼
送 孟浩然之广陵
李白

故人西辞黄鹤楼，
烟花三月下扬州。
孤帆远影碧空尽，
惟见长江天际流。

【注释】 ①之：往，到。广陵：扬州古称。 ②烟花：花柳迷人的景色。

【解说】 这是李白为孟浩然送行的诗。老朋友告别武昌的黄鹤楼，在杨柳如烟、繁花似锦的阳春三月，顺流东下去扬州。我看着老朋友乘坐的船渐渐远去，消失在远远的天边，眼前只有滚滚的长江在向东流去。人已远去，仍然久立不舍得离去，惜别之情，真切感人。

送友人

李白

青山横北郭，
白水绕东城。
此地一为别，
孤蓬万里征。
浮云游子意，
落日故人情。
挥手自兹去，
萧萧班马鸣。

【注释】　①青山：指安徽宣城北面的敬亭山。郭：外城。　②白水：指宣城东面的勾溪、宛溪。　③自兹去：从此分别。　④萧萧：马嘶叫声。班马：离群的马。

【解说】　青翠的山峦横在外城的北面，静静的白水绕城东潺潺而过。在此地一分别，就像蓬草随风飞转，万里远行。你像天上的浮云飘忽不定，我就如落日依山那样对你依依不舍。我们在马上相互挥手告别，那马儿也不愿分离而禁不住萧萧长鸣。这首诗像一幅油画，人情美与自然美交织在一起，有声有色。全诗豁达乐观，情意深切。

65

shān zhōng wèn dá
山 中 问 答
lǐ bái
李 白

wèn yú hé yì qī bì shān
问 余 何 意 栖 碧 山，
xiào ér bù dá xīn zì xián
笑 而 不 答 心 自 闲。
táo huā liú shuǐ yǎo rán qù
桃 花 流 水 窅 然 去，
bié yǒu tiān dì fēi rén jiān
别 有 天 地 非 人 间。

【注释】 ①余：我。栖：居住。碧山：在湖北省安陆县内，山下桃花岩是李白读书处。 ②闲：安然、泰然。
③窅然：深远的样子。 ④别：另外。非人间：不是人间，这里指诗人的隐居生活。

【解说】 这是一首反映作者隐居山林，不求功名，只求与天地自然共息的隐逸诗。有人问我为什么要
居住在碧山，我笑而不答，心里又轻松又得意。飘落的桃花瓣随着清澈的流水远远流去，这里的景色非
常幽美，不像人间，倒像是仙境。

péi shì láng shū yóu dòng tíng zuì hòu
陪 侍 郎 叔 游 洞 庭 醉 后

lǐ bái
李 白

chǎn què jūn shān hǎo
划 却 君 山 好，

píng pū xiāng shuǐ liú
平 铺 湘 水 流。

bā líng wú xiàn jiǔ
巴 陵 无 限 酒，

zuì shā dòng tíng qiū
醉 杀 洞 庭 秋。

【注释】 ①侍郎：官职名。 ②划却：铲掉。君山：洞庭湖中的一座山。 ③平铺：平稳。湘水：湘江。 ④巴陵：现在湖南岳阳。 ⑤醉杀：醉得很厉害，醉倒。

【解说】 铲去兀立在洞庭湖中的君山，让湘水直接流入湖中。这浩瀚的湖水像是无尽的美酒，让我们举杯共饮，醉倒在这洞庭的秋色里。美丽的景色引起了诗人的诗兴，尽管诗人内心隐藏着无限的失意和惆怅，但诗中仍然洋溢着乐观的精神。

67

dēng jīn líng fèng huáng tái
登 金 陵 凤 凰 台

lǐ bái
李 白

fèng huáng tái shàng fèng huáng yóu
凤 凰 台 上 凤 凰 游，

fèng qù tái kōng jiāng zì liú
凤 去 台 空 江 自 流。

wú gōng huā cǎo mái yōu jìng
吴 宫 花 草 埋 幽 径，

jìn dài yī guān chéng gǔ qiū
晋 代 衣 冠 成 古 丘。

sān shān bàn luò qīng tiān wài
三 山 半 落 青 天 外，

èr shuǐ zhōng fēn bái lù zhōu
二 水 中 分 白 鹭 洲。

zǒng wèi fú yún néng bì rì
总 为 浮 云 能 蔽 日，

cháng ān bù jiàn shǐ rén chóu
长 安 不 见 使 人 愁。

【注释】 ①吴宫：三国时孙吴所建宫殿。 ②晋代衣冠：指东晋时的名门贵族。丘：坟。 ③浮云：比喻奸臣。日：比喻君王。

【解说】 凤凰台上曾有凤凰来游，如今凤去台空，只有江水仍然不停地流淌着。往日吴国宫廷的繁华，已不复存在，东晋的风流人物，也早已进入坟墓。远望若隐若现的三山，近看把长江分成两条巨流的白鹭洲。即使知道浮云蔽日不会长久，然而看不见长安，总是令人忧愁。诗人登台感慨历史上的繁华与风流人物已成陈迹，忧虑当朝的时局会被奸人所左右。

望天门山

wàng tiān mén shān

lǐ bái
李白

tiān mén zhōng duàn chǔ jiāng kāi
天门中断楚江开，
bì shuǐ dōng liú zhì cǐ huí
碧水东流至此回。
liǎng àn qīng shān xiāng duì chū
两岸青山相对出，
gū fān yī piàn rì biān lái
孤帆一片日边来。

【注释】　①天门山：在今安徽省当涂县与和县境内。　②中断：从中间断开。楚江：安徽省在古代属楚地，故称流经这里的江水为楚江。　③至此：又作"直北"。回：回旋，打转。

【解说】　这首山水诗写的是眺望天门山的景色。天门山被长江从中断开，分为两座山，碧绿的江水向东流到这儿突然转了个弯儿，向北流去。两岸的青山相互对峙，一只小船从太阳升起来的地方悠悠驶来。全诗处处紧扣一个"望"字，形象地描绘了天门山夹江对峙的特点。诗中有山有水、有远景有近景，如一幅壮丽的山水图卷。

望庐山瀑布
wàng lú shān pù bù

李白
lǐ bái

日照香炉生紫烟，
rì zhào xiāng lú shēng zǐ yān

遥看瀑布挂前川。
yáo kàn pù bù guà qián chuān

飞流直下三千尺，
fēi liú zhí xià sān qiān chǐ

疑是银河落九天。
yí shì yín hé luò jiǔ tiān

【注释】 ①挂前川:在前面悬挂着一条河。 ②疑:怀疑。九天:天的最高处。

【解说】 香炉峰上的云雾,在太阳光的照射下,呈现出紫色,袅袅上升,远看瀑布如高挂着的一条江河。水流从高处飞泻而下,我怀疑是银河从九重天上落下来。诗人用夸张的手法,描写庐山瀑布的壮丽景色,表现了对大自然的热爱之情。

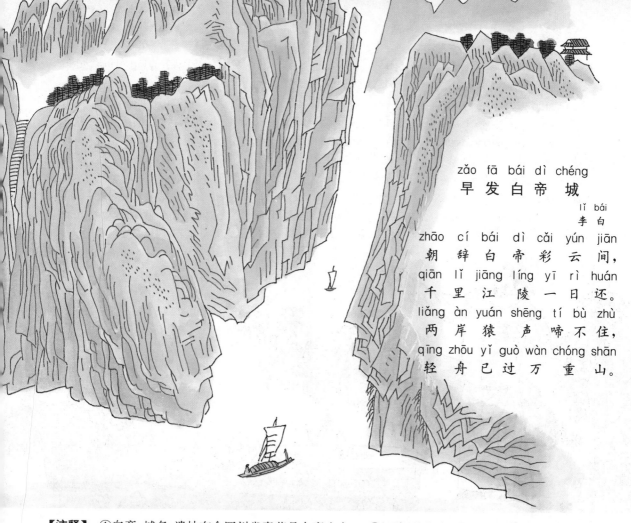

zǎo fā bái dì chéng
早发白帝城

lǐ bái
李白

zhāo cí bái dì cǎi yún jiān
朝辞白帝彩云间，
qiān lǐ jiāng líng yī rì huán
千里江陵一日还。
liǎng àn yuán shēng tí bù zhù
两岸猿声啼不住，
qīng zhōu yǐ guò wàn chóng shān
轻舟已过万重山。

【注释】 ①白帝：城名，遗址在今四川省奉节县白帝山上。 ②江陵：地方名，今湖北省江陵县，距白帝城约一千二百里。

【解说】 这是一首写三峡风光的诗。早晨告别了高入彩云之间的白帝城，千里远的江陵一天就可以到了。长江岸边的猿声叫个不停，而轻舟已经穿过了千万座大山。诗人把三峡的奇险高峻通过白帝城的"高"和轻舟的"快"写了出来，从中也表达了诗人喜悦的心情和轻松愉快的感受。

yuè xià dú zhuó
月 下 独 酌

李白

huā jiān yī hú jiǔ
花 间 一 壶 酒，

dú zhuó wú xiāng qīn
独 酌 无 相 亲。

jǔ bēi yāo míng yuè
举 杯 邀 明 月，

duì yǐn chéng sān rén
对 饮 成 三 人。

yuè jì bù jiě yǐn
月 既 不 解 饮，

yǐng tú suí wǒ shēn
影 徒 随 我 身。

zàn bàn yuè jiāng yǐng
暂 伴 月 将 影，

xíng lè xū jí chūn
行 乐 须 及 春。

wǒ gē yuè pái huái
我 歌 月 徘 徊，

wǒ wǔ yǐng líng luàn
我 舞 影 零 乱。

xǐng shí tóng jiāo huān
醒 时 同 交 欢，

zuì hòu gè fēn sàn
醉 后 各 分 散。

yǒng jié wú qíng yóu
永 结 无 情 游，

xiāng qī miǎo yún hàn
相 期 邈 云 汉。

【注释】 ①独酌：独自喝酒。 ②邀：邀请。 ③将：与。 ④无情游：忘却世情之游。 ⑤相期：约定日期。邈：遥远。云汉：银河，这里指仙境。

【解说】 花丛中摆上一壶酒，独自喝酒没有知心者相伴，只好高举酒杯邀请明月携我身影，我们"三人"一起喝。虽然月和影都不懂人间的事情，我暂且与它们相伴歌舞，醒时一起欢乐，醉后各自分散，相约一起去游仙境。诗人以丰富的想象力，把本来十分寂寞冷落的场面写得很有情趣，自得其乐。

dú zuò jìng tíng shān
独 坐 敬 亭 山

lǐ bái
李白

zhòng niǎo gāo fēi jìn
众 鸟 高 飞 尽，

gū yún dú qù xián
孤 云 独 去 闲。

xiāng kàn liǎng bù yàn
相 看 两 不 厌，

zhǐ yǒu jìng tíng shān
只 有 敬 亭 山。

【注释】 ①敬亭山：山名。 ②尽：没有了。 ③闲：偷闲，安闲。 ④相看：你看我，我看你，指诗人和山。厌：厌弃，厌烦。

【解说】 鸟儿们飞得没有了踪迹，天上飘浮的孤云也不愿意留下，慢慢向远处飘去。只有我看着高高的敬亭山，敬亭山也默默无语地注视着我，我们俩谁也不会觉得厌烦。谁能理解我此时寂寞的心情，只有这高高的敬亭山了。诗人将思想感情与自然景物高度融合，把自己对现实的不满和处境寂寞的心境含蓄地表现了出来。

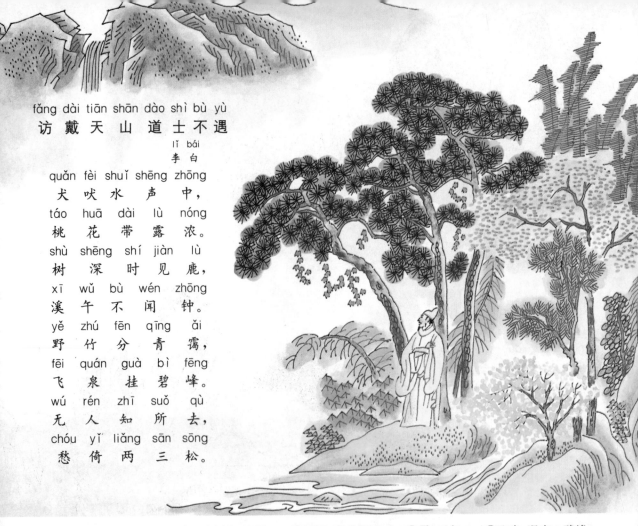

访戴天山道士不遇
fǎng dài tiān shān dào shì bù yù

李白
lǐ bái

犬 吠 水 声 中，
quǎn fèi shuǐ shēng zhōng

桃 花 带 露 浓。
táo huā dài lù nóng

树 深 时 见 鹿，
shù shēng shí jiàn lù

溪 午 不 闻 钟。
xī wǔ bù wén zhōng

野 竹 分 青 霭，
yě zhú fēn qīng ǎi

飞 泉 挂 碧 峰。
fēi quán guà bì fēng

无 人 知 所 去，
wú rén zhī suǒ qù

愁 倚 两 三 松。
chóu yǐ liǎng sān sōng

【注释】　①戴天山：在今四川省江油县。　②树深：森林深处。　③霭：云气。　④飞泉：瀑布。碧峰：绿色的山岭。

【解说】　隐隐的犬吠声夹杂在流水的淙淙声中，带着露珠的桃花更加鲜艳。树林深处，常见到出没的麋鹿，正午来到溪边却听不到山寺的钟声。绿色的野竹划破了青色的云气，白色的瀑布高挂在碧绿的山峰。没有人知道道士的去向，我惆怅地靠着这几株古松。此诗重在写景，有声有色，有动也有静，远近高低，多采多姿。

74

yè sù shān sì
夜宿山寺

lǐ bái
李白

wēi lóu gāo bǎi chǐ
危楼高百尺，

shǒu kě zhāi xīng chén
手可摘星辰。

bù gǎn gāo shēng yǔ
不敢高声语，

kǒng jīng tiān shàng rén
恐惊天上人。

【注释】 ①危楼：指建筑在山顶上的寺庙。危，高。 ②星辰：日、月、星的总称。 ③语：说话。

【解说】 诗人用夸张的艺术手法，描绘了山寺的高耸，给人以丰富的联想。山上的这座楼好像有一百尺高，站在楼上就可以用手摘下星星和月亮。我不敢在这儿大声说话，恐怕惊动了天上的仙人。全诗语言朴素自然，却又十分生动形象。

75

chūn yè luò chéng wén dí
春 夜 洛 城 闻 笛

lǐ bái
李白

shuí jiā yù dí àn fēi shēng
谁 家 玉 笛 暗 飞 声?
sàn rù chūn fēng mǎn luò chéng
散 入 春 风 满 洛 城。
cǐ yè qǔ zhōng wén zhé liǔ
此 夜 曲 中 闻 折 柳,
hé rén bù qǐ gù yuán qíng
何 人 不 起 故 园 情!

【注释】 ①洛城:即洛阳。 ②暗飞声:悄悄地飘来声音。 ③折柳:即《折杨柳》曲的简称。 ④故园:故乡。

【解说】 不知从谁家的窗户里悄然飘出了阵阵悠扬的笛声,这笛声随着春风传遍了整个洛阳城。在夜里倾听一支表达离别之情的《折杨柳》曲,谁能不勾起怀念故乡之情呢!这首诗情调优雅,借夜里的笛声,诉说了诗人对故乡的思念之情。

cì běi gù shān xià
次北固山下

wáng wān
王 湾

kè lù qīng shān wài
客路青山外，

xíng zhōu lù shuǐ qián
行舟绿水前。

cháo píng liǎng àn kuò
潮平两岸阔，

fēng zhèng yī fān xuán
风正一帆悬。

hǎi rì shēng cán yè
海日生残夜，

jiāng chūn rù jiù nián
江春入旧年。

xiāng shū hé chù dá
乡书何处达？

guī yàn luò yáng biān
归雁洛阳边。

【注释】 ①次：停留。北固山：在今江苏省镇江市。 ②潮平：潮水上涨与江岸齐平。 ③风正：顺风，与船行的方向一致。 ④残夜：天将亮时。 ⑤乡书：家信。何处达：即"达何处"，送到什么地方。

【解说】 此诗写旅途中的景色和归心似箭的心情。要去的地方还远在北固山外，客船行驶在碧绿的长江上。潮水上涨与江岸齐平，视野更加宽阔；风势顺时，船帆高悬。残夜将尽，太阳已从海上升起；旧年未过，江南已进入了春天。还在旅途，写封家信吧，寄到何处？还是托北归的大雁带到洛阳去吧！

huáng hè lóu
黄 鹤 楼

cuī hào
崔颢

xī rén yǐ chéng huáng hè qù
昔人已乘黄鹤去,

cǐ dì kōng yú huáng hè lóu
此地空余黄鹤楼。

huáng hè yī qù bù fù fǎn
黄鹤一去不复返,

bái yún qiān zǎi kōng yōu yōu
白云千载空悠悠。

qíng chuān lì lì hàn yáng shù
晴川历历汉阳树,

fāng cǎo qī qī yīng wǔ zhōu
芳草萋萋鹦鹉洲。

rì mù xiāng guān hé chù shì
日暮乡关何处是?

yān bō jiāng shàng shǐ rén chóu
烟波江上使人愁。

【注释】 ①昔人:前人。诗指传说中骑黄鹤经过这里的仙人。 ②千载:千年。悠悠:久远的样子。
③历历:分明可数。 ④萋萋:草长得茂盛的样子。

【解说】 以前的仙人早已乘着黄鹤离开,现在这里留下的只是一座黄鹤楼。黄鹤飞去后再也不会回来,只有白云千年来在这里自由飘浮。天色晴明,隔江的汉阳,树影历历在望,远眺江中的鹦鹉洲,春草萋萋。太阳将要落山,遥想故乡,你在何方呢?江上满眼只是浩渺的烟波,这不免使人涌起淡淡的乡愁。全诗抒写登楼吊古,思乡怀土的心情,格调优美。

liáng zhōu cí
凉 州 词

wáng hàn
王 翰

pú táo měi jiǔ yè guāng bēi
葡 萄 美 酒 夜 光 杯,

yù yǐn pí pá mǎ shàng cuī
欲 饮 琵 琶 马 上 催。

zuì wò shā chǎng jūn mò xiào
醉 卧 沙 场 君 莫 笑,

gǔ lái zhēng zhàn jǐ rén huí
古 来 征 战 几 人 回?

【注释】 ①凉州词:乐府曲调名。 ②夜光杯:白玉制成的酒杯。这里泛指精制的酒杯。 ③催:这里指催人出发的意思。

【解说】 这是一首描写边防将士生活的著名诗篇。闪亮的夜光杯里盛满了香甜的葡萄酒,正准备举杯饮酒时,从马上传来了琵琶声,像是在催促将士们快喝完酒好出发。即使喝醉了倒在战场上你也不要笑,自古以来征战的人有几个能活着回去呢?诗人以明快的语言,豪放的笔调,表现了一群将士征战前的悲壮心情,读了催人泪下,感人至深。

桃花溪
tāo huā xī
桃 花 溪

zhāng xù
张 旭

yǐn yǐn fēi qiáo gé yě yān
隐 隐 飞 桥 隔 野 烟，
shí jī xī pàn wèn yú chuán
石 矶 西 畔 问 渔 船。
tāo huā jìn rì suí liú shuǐ
桃 花 尽 日 随 流 水，
dòng zài qīng xī hé chù biān
洞 在 清 溪 何 处 边？

【注释】　①桃花溪：在今湖南省桃源县西南。　②隐隐：忽隐忽现。　③石矶：水边凸出的岩石。

【解说】　这首诗运用"世外桃源"的传说，描写了桃花溪美丽、宁静的景色。远眺桃源山谷，透过薄薄的云雾，隐约可见一座大桥飞架溪水之上，在桃花溪的石矶西边，我向打鱼的人询问：桃花每日随溪水流出来，可桃源洞在桃花溪的什么地方呢？这一发问，流露出诗人对美好的桃花源理想生活的向往之情。诗写得含蓄，耐人寻味。

80

山中留客
shān zhōng liú kè

张旭
zhāng xù

shān guāng wù tài nòng chūn huī
山 光 物 态 弄 春 晖，

mò wèi qīng yīn biàn nǐ guī
莫 为 轻 阴 便 拟 归。

zòng shǐ qíng míng wú yǔ sè
纵 使 晴 明 无 雨 色，

rù yún shēn chù yì zhān yī
入 云 深 处 亦 沾 衣。

【注释】 ①山光物态：山的容光，物的情态。 ②轻阴：微阴。拟：打算。 ③沾衣：打湿衣服。

【解说】 山的容光和物的情态都沐浴在春天的阳光下，景象不断变化，不要因为一片阴云便急着回家。即使天色晴朗无下雨的样子，但走到山中云雾深处也会沾湿你的衣服。诗人赋诗留客，用那令人神往的意境，诱导客人去欣赏山中的美景。

81

yí jiā bié hú shàng tíng
移家别湖上亭

róng yù
戎昱

hǎo shì chūn fēng hú shàng tíng
好是春风湖上亭,

liǔ tiáo téng màn xì lí qíng
柳条藤蔓系离情。

huáng yīng jiǔ zhù hún xiāng shí
黄莺久住浑相识,

yù bié pín tí sì wǔ shēng
欲别频啼四五声。

【注释】 ①移家:搬家。 ②浑:全。 ③频啼:连续地鸣叫。

【解说】 春风拂面,景色宜人,我要辞别往日最喜爱的湖上亭,亭边的柳条依依,藤蔓攀附,像是要拉住我不让离去。久住树上的黄莺也都像是相识已久的朋友,在我离别时频频鸣叫着好似为我送行。这首诗抒写诗人离别故居时对故居一草一木依恋难舍的深厚感情。诗人不是直接写自己,而是从柳、藤和黄莺的情态着笔,构思新颖。

塞下曲
_{sài xià qǔ}

戎昱
_{róng yù}

汉将归来虏塞空，
_{hàn jiàng guī lái lǔ sài kōng}

旌旗初下玉关东。
_{jīng qí chū xià yù guān dōng}

高蹄战马三千匹，
_{gāo tí zhàn mǎ sān qiān pǐ}

落日平原秋草中。
_{luò rì píng yuán qiū cǎo zhōng}

【注释】　①汉将：借指唐朝的将领。虏塞：敌军把守的要塞、营寨。　②玉关：玉门关，在今甘肃省敦煌市西北。

【解说】　这首诗写边防军凯旋的雄壮场面。在西北的大平原上，夕阳西下的时候，唐朝的将军率领三千人马，扫荡了敌军营垒，高扬着军旗，直奔玉门关内。诗的背景雄浑开阔，胜利而归的气势威壮感人。

83

夜别韦司士
yè bié wéi sī shì

高适
gāo shì

高馆张灯酒复清，
gāo guǎn zhāng dēng jiǔ fù qīng

夜钟残月雁归声。
yè zhōng cán yuè yàn guī shēng

只言啼鸟堪求侣，
zhǐ yán tí niǎo kān qiú lǚ

无那春风欲送行。
wú nuò chūn fēng yù sòng xíng

黄河曲里沙为岸，
huáng hé qū lǐ shā wéi àn

白马津边柳向城。
bái mǎ jīn biān liǔ xiàng chéng

莫怨他乡暂离别，
mò yuàn tā xiāng zàn lí bié

知君到处有逢迎。
zhī jūn dào chù yǒu féng yíng

【注释】 ①无那：即无奈。 ②曲：河流弯曲的地方。 ③白马津：渡口名，在今河南省滑县北。

【解说】 宾馆里点着灯畅饮饯别之酒，夜晚的钟声夹杂着残月下归雁鸣叫的声音。都说鸟儿鸣叫是为了求寻伴侣，无奈那春风要送君远行。黄河弯曲的地方积沙堆成堤岸，白马津边的柳树成行一直通向城郭。不要怨恨在他乡暂时离别，我知道你到哪里都会有人欢迎。诗中表达了诗人对朋友的惜别之情和对朋友的劝慰。

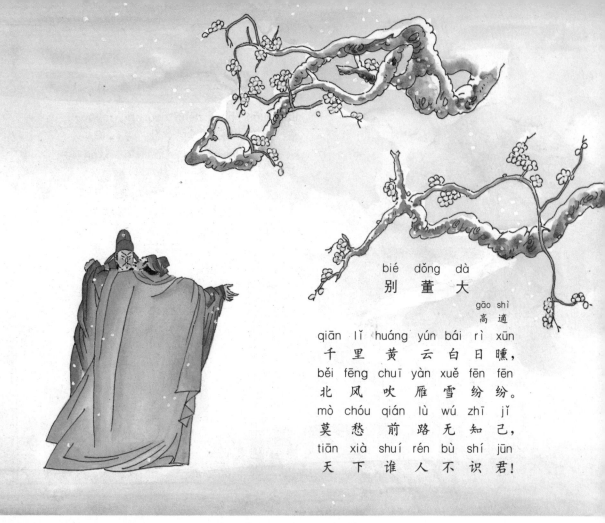

bié dǒng dà
别 董 大

gāo shì
高 适

qiān lǐ huáng yún bái rì xūn
千 里 黄 云 白 日 曛，
běi fēng chuī yàn xuě fēn fēn
北 风 吹 雁 雪 纷 纷。
mò chóu qián lù wú zhī jǐ
莫 愁 前 路 无 知 己，
tiān xià shuí rén bù shí jūn
天 下 谁 人 不 识 君！

【注释】 ①曛：日色昏暗。 ②君：指董大，是唐玄宗时代的音乐能手。

【解说】 北国千里，满天的阴云使白日显得昏昏暗暗，北风吹来，大雁在纷飞的雪花里朝南方飞去。不要忧愁前面路上没有知心朋友，天下有谁不认识您呢？前两句写的北国风光，所绘之景烘托出诗人送别董大时的失意心情，后两句则对友人进行安慰与鼓励，慷慨激昂，落落大方，是一首出自肺腑的感人的赠别诗。

chú yè zuò

除 夜 作

gāo shì

高 適

lǚ guǎn hán dēng dú bù mián

旅 馆 寒 灯 独 不 眠，

kè xīn hé shì zhuǎn qī rán

客 心 何 事 转 凄 然？

gù xiāng jīn yè sī qiān lǐ

故 乡 今 夜 思 千 里，

shuāng bìn míng zhāo yòu yī nián

霜 鬓 明 朝 又 一 年。

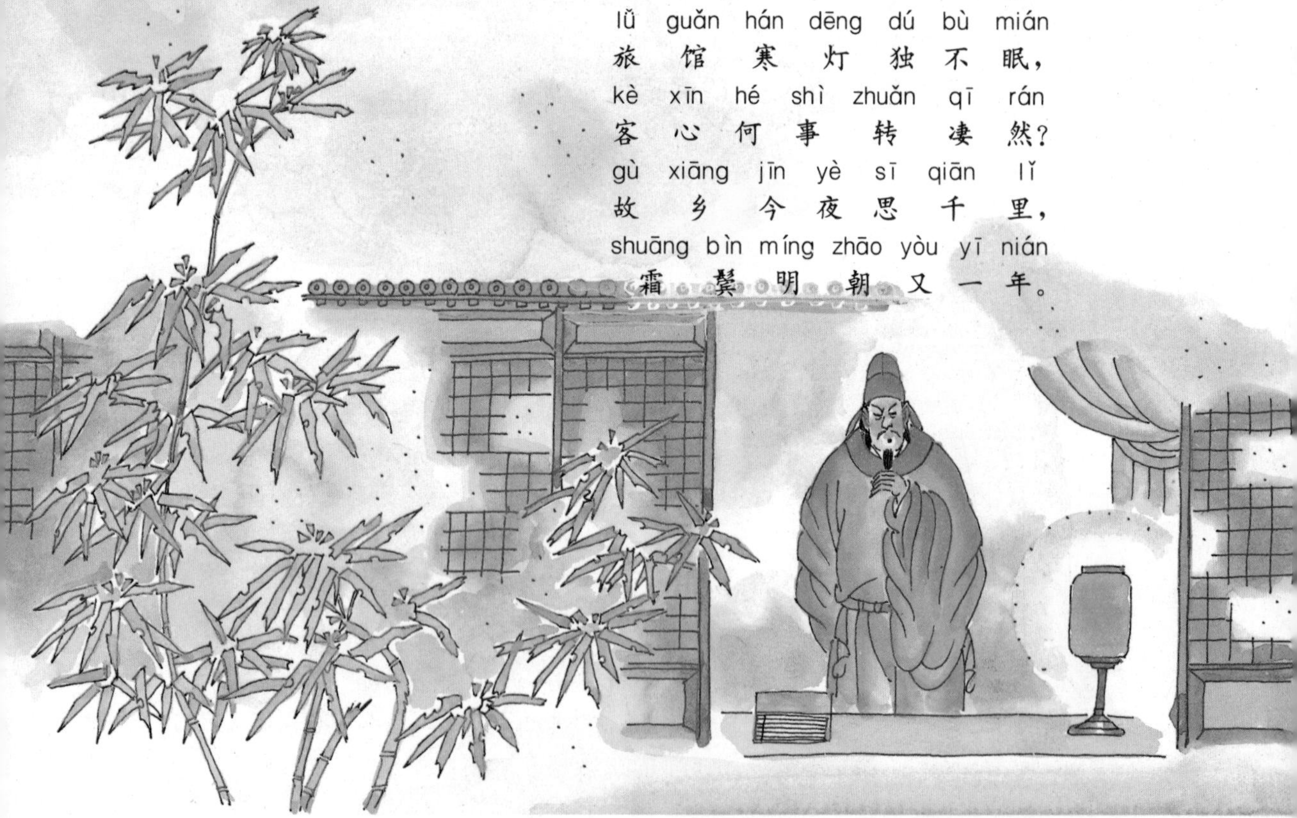

【注释】 ①凄然：形容悲伤的样子。 ②霜鬓：两鬓白如霜。

【解说】 除夕夜身居客店只是与清冷的烛光相伴，我为什么会悲伤呢？今晚家乡的亲人肯定想念着千里之外的我，新的一年里我的两鬓又要增添新的白发了。除夕夜，家家户户灯火通明，欢聚一堂，诗人此时却独居旅店，全诗感情由此而生发出来。末句充分抒发了身居客地的那种孤寂的老大无成的凄然悲伤之感。

营州歌

gāo shì
高 适

营州少年厌原野，
狐裘蒙茸猎城下。
虏酒千钟不醉人，
胡儿十岁能骑马。

【注释】　①营州：在今辽宁省朝阳县。当时是汉族和契丹族杂居的地方。　②厌：满足，这里作"习惯于"讲。　③虏酒：指当地少数民族酿造的酒。钟：盛酒的容器。　④胡儿：指少数民族的孩子。

【解说】　诗写北方少数民族青少年的生活。营州一带的青少年习惯于在原野生活，他们十岁时就学会了骑马，穿着毛茸的狐皮袍子，在城外打猎；他们个个性格粗犷豪放，喝起酒来千钟也不觉醉。诗生动地刻画了营州少年的形象，表现了他们的生活风貌和豪放的性格。

军城早秋
jūn chéng zǎo qiū

严武
yán wǔ

昨夜秋风入汉关，
zuó yè qiū fēng rù hàn guān

朔云边月满西山。
shuò yún biān yuè mǎn xī shān

更催飞将追骄虏，
gèng cuī fēi jiàng zhuī jiāo lǔ

莫遣沙场匹马还。
mò qiǎn shā chǎng pǐ mǎ huán

【注释】　①西山：指四川西部的岷山。　②更：再。飞将：指作者部下的猛将。　③莫遣：不要让。

【解说】　昨夜秋风吹进边关，寒云与冷月笼罩着西山。催动飞将穷追骄横的残寇，决不让来犯者一人一马活着逃回去。此诗写得很有气魄，是一首洋溢着爱国主义激情的战歌。

diào yú wān
钓鱼湾

chǔ guāng xī
储 光 羲

chuí diào lù wān chūn
垂 钓 绿 湾 春，

chūn shēn xìng huā luàn
春 深 杏 花 乱。

tán qīng yí shuǐ qiǎn
潭 清 疑 水 浅，

hé dòng zhī yú sàn
荷 动 知 鱼 散。

rì mù dài qíng rén
日 暮 待 情 人，

wéi zhōu lù yáng àn
维 舟 绿 杨 岸。

【注释】 ①乱：纷繁。 ②散：游动。 ③维舟：拴小舟。

【解说】 我在小河湾里钓鱼，岸上长满了绿色的树木和野草。春天快要过去了，杏花的花瓣一片片飘落下来。池塘里的水清澈见底，我还以为水很浅呢，荷叶一动，才知是鱼儿受惊吓游走了。黄昏时候，我把小船系在杨柳青青的岸边，等着情人的到来。这首诗写一个青年小伙子以垂钓作掩护，在风光宜人的钓鱼湾焦急地等待情人的情景。

早梅 zǎo méi

张谓 zhāng wèi

一树寒梅白玉条，
yī shù hán méi bái yù tiáo

迥临村路傍溪桥。
jiǒng lín cūn lù bàng xī qiáo

不知近水花先发，
bù zhī jìn shuǐ huā xiān fā

疑是经冬雪未销。
yí shì jīng dōng xuě wèi xiāo

【注释】　①迥：远。　②销：融化。

【解说】　一树早梅凌寒独开，洁白如玉，它远离人来人往的村路，临近溪水桥边。不知是近水而使梅花早开，还是枝上的白雪经过冬天还未融化？古代诗人咏梅诗很多，有写梅的风姿，有颂梅的神韵，此首则描写一个"早"字。诗中的"不知"和"疑是"写出了诗人远望似雪非雪的迷离恍惚之境。

90

féng xuě sù fú róng shān zhǔ rén
逢 雪 宿 芙 蓉 山 主 人

liú cháng qīng
刘 长 卿

rì mù cāng shān yuǎn
日 暮 苍 山 远，

tiān hán bái wū pín
天 寒 白 屋 贫。

chái mén wén quǎn fèi
柴 门 闻 犬 吠，

fēng xuě yè guī rén
风 雪 夜 归 人。

【注释】　①题目的意思为宿在芙蓉山主人家逢雪。　②苍山：青色的山。　③白屋：茅屋。　④柴门：用树枝编制的门。

【解说】　天快黑了，青山显得更加模糊遥远，天气寒冷，山中破旧的茅屋越发显得冷清萧条，柴门外传来一阵狗叫声，原来是茅屋的主人顶着漫天的风雪回家来了。寥寥几笔，诗人便把苍山暮色、茅屋贫寒、柴门犬吠、风雪夜归的情景有声有色地描绘出来，生动地反映出山村人民的贫苦生活，给人以很强的艺术感染力。

tīng tán qín
听 弹 琴

liú cháng qīng
刘 长 卿

líng líng qī xián shàng
泠 泠 七 弦 上,

jìng tīng sōng fēng hán
静 听 松 风 寒。

gǔ diào suī zì ài
古 调 虽 自 爱,

jīn rén duō bù tán
今 人 多 不 弹。

【注释】 ①泠泠:形容琴声的清脆。七弦:即古琴。 ②松风:即当时的琴曲《风入松》,这里指琴声。
③古调:古曲。

【解说】 清脆悠扬的琴声从七弦琴上发出,静静地听着仿佛有寒风吹入松林之感。这般美妙的古曲虽
然自有爱它的雅士,可现在的琴师们多已不弹了。诗人感叹世上知音者少,从而表达了诗人不趋时尚
的清高品格。

送灵澈上人
sòng líng chè shàng rén

刘长卿
liú cháng qīng

苍 苍 竹 林 寺，
cāng cāng zhú lín sì

杳 杳 钟 声 晚。
yǎo yǎo zhōng shēng wǎn

荷 笠 带 夕 阳，
hè lì dài xī yáng

青 山 独 归 远。
qīng shān dú guī yuǎn

【注释】 ①苍苍：这里指暮色。竹林寺：在江苏省镇江市南。 ②杳杳：深远幽暗。这里指从远处传来。
③荷：背着。

【解说】 暮色苍茫笼罩着竹林寺，远处不时传来一阵阵的晚钟声。我望着灵澈背着斗笠，伴着夕阳，他
的身影在青山中渐渐地远逝。全诗表达了对灵澈的深情厚谊，也表现出灵澈归山的清寂风度，意境
如画。

送李中丞归汉阳别业

sòng lǐ zhōng chén guī hàn yáng bié yè

刘长卿
liú cháng qīng

流落征南将，
liú luò zhēng nán jiàng

曾驱十万师。
céng qū shí wàn shī

罢归无旧业，
bà guī wú jiù yè

老去恋明时。
lǎo qù liàn míng shí

独立三边静，
dú lì sān biān jìng

轻生一剑知。
qīng shēng yī jiàn zhī

茫茫江汉上，
máng máng jiāng hàn shàng

日暮欲何之？
rì mù yù hé zhī

【注释】　①别业：别墅。　②旧业：祖业。　③三边：汉代指幽州、并州和凉州，泛指边疆。　④轻生：奋不顾身、勇敢杀敌的意思。

【解说】　穷困潦倒的征南将军，曾经指挥过十万雄师。罢官归来家无财物，年老时还怀念政治清明的时代。将军当时能使边疆太平无事，只有身上的佩剑才知道将军曾经百战。在茫茫江汉平原上，日落西山时将军准备到哪里去？诗人对这位立下许多战功的老将军，老年失意回乡的遭遇深表同情。

送李判官之润州行营
sòng lǐ pàn guān zhī rùn zhōu xíng yíng

liú cháng qīng
刘长卿

wàn lǐ cí jiā shì gǔ pí
万里辞家事鼓鼙，

jīn líng yì lù chǔ yún xī
金陵驿路楚云西。

jiāng chūn bù kěn liú xíng kè
江春不肯留行客，

cǎo sè qīng qīng sòng mǎ tí
草色青青送马蹄。

【注释】　①润州：在今江苏镇江。行营：主将出征驻扎之地。　②鼓鼙：古代军中用的一种鼓。　③驿路：古代的官道。楚：古代楚国。

【解说】　这是一首很有特色的送别小诗。离家万里去从事军务，西去的云彩飘在通往金陵（今南京）的驿路上。江畔迷人的春色留不住你，青青的芳草也似乎在为你送行。诗的前两句表现了男儿从军的豪壮气势，后两句则清秀动情。全诗把这两种情绪结合在一起，取得了很好的艺术效果。

望岳 (wàng yuè)

杜甫 (dù fǔ)

岱宗夫如何？
(dài zōng fú rú hé)

齐鲁青未了。
(qí lǔ qīng wèi liǎo)

造化钟神秀，
(zào huà zhōng shén xiù)

阴阳割昏晓。
(yīn yáng gē hūn xiǎo)

荡胸生层云，
(dàng xiōng shēng céng yún)

决眦入归鸟。
(jué zì rù guī niǎo)

会当凌绝顶，
(huì dāng líng jué dǐng)

一览众山小。
(yī lǎn zhòng shān xiǎo)

【注释】 ①岱宗：泰山的尊称。 ②齐鲁：春秋时代的两个国名，在山东一带。未了：不尽的意思。③造化：大自然。钟：聚集。 ④阴阳：山南面为阳，北面为阴。割：分。昏晓：傍晚和早晨。这里指光线明暗。 ⑤决眦：裂开眼眶。形容极力张大眼睛。 ⑥会当：定当，定要。

【解说】 泰山的景象如何？整个齐鲁大地都可以看见它青翠的山影。大自然使泰山集中了神奇与秀美，阳光把高山的南北分割成昏晓。山中层云缭绕使人胸怀激荡，归巢的鸟儿尽入眼帘。一定要登上山顶，这里放眼望去才会感到所有的山都是那么的矮小。诗人由望泰山之高峻神奇而发登高之想，抒发了自己年轻时的情怀。

前出塞

qián chū sài

杜甫
dù fǔ

挽 弓 当 挽 强，
wǎn gōng dāng wǎn qiáng

用 箭 当 用 长。
yòng jiàn dāng yòng cháng

射 人 先 射 马，
shè rén xiān shè mǎ

擒 贼 先 擒 王。
qín zéi xiān qín wáng

杀 人 亦 有 限，
shā rén yì yǒu xiàn

列 国 自 有 疆。
liè guó zì yǒu jiāng

苟 能 制 侵 陵，
gǒu néng zhì qīn líng

岂 在 多 杀 伤！
qǐ zài duō shā shāng

【注释】 ①挽：拉开，这里指用。 ②擒：捉拿。 ③列国：各国。疆：疆界，边界。 ④苟：如果。侵陵：侵犯。

【解说】 用弓就要用强弓，用箭就要用长箭。射人时应该先射马，捉拿敌人应先捉拿首领。杀人也应该有个限度，各国都有自己的疆界。只要能够制止对方的侵犯，就不在于杀伤了多少敌人。此诗用谚语体讲述了自卫战争用武克敌的策略，富有哲理性。

月夜
yuè yè

杜甫
dù fǔ

今夜鄜州月，
jīn yè fū zhōu yuè

闺中只独看。
guī zhōng zhǐ dú kàn

遥怜小儿女，
yáo lián xiǎo ér nǚ

未解忆长安。
wèi jiě yì cháng ān

香雾云鬟湿，
xiāng wù yún huán shī

清辉玉臂寒。
qīng huī yù bì hán

何时倚虚幌，
hé shí yǐ xū huǎng

双照泪痕干？
shuāng zhào lèi hén gān

【注释】 ①鄜州：今陕西省富县。 ②闺中：指诗人妻子。 ③未解：不懂。 ④虚幌：薄而透明的帷帐。

【解说】 今夜鄜州的月色分外明亮，家中只有妻子一个独自观赏。可怜我那远方年幼的儿女，不懂得母亲思念在长安的父亲之苦。望月的时间久了，深夜的雾气会沾湿妻子的头发，手臂露在月光里也会感到寒意。什么时候能倚靠在帷帐旁，让清冷的月光把我俩的泪痕照干呢？诗人采用想象的手法，形象地刻画了妻子月下思念丈夫的形态。诗人不写自己如何思家，而想象对方如何望月怀人，更显出诗人思念之深。

春望 chūn wàng

杜甫 dù fǔ

国破山河在，
guó pò shān hé zài

城春草木深。
chéng chūn cǎo mù shēn

感时花溅泪，
gǎn shí huā jiàn lèi

恨别鸟惊心。
hèn bié niǎo jīng xīn

烽火连三月，
fēng huǒ lián sān yuè

家书抵万金。
jiā shū dǐ wàn jīn

白头搔更短，
bái tóu sāo gèng duǎn

浑欲不胜簪。
hún yù bù shèng zān

【注释】 ①国：指京城长安。 ②感时：感叹时事。 ③抵：值。 ④短：短少。 ⑤浑：简直。不胜簪：意为插不上簪。

【解说】 京城长安已经被叛军破坏，只是山河依然存在，春天的荒城里只有密密的野草丛生。感伤时事我见花落泪，怨恨离乱听到鸟鸣也心惊胆战。战乱持续了三个月，一封家信可抵万两黄金。满头的白发越搔越少，简直插不住发簪了。诗人既感叹国事，又抒发了对亲人的怀念之情。

江村 (jiāng cūn)

杜甫 (dù fǔ)

清江一曲抱村流，
qīng jiāng yī qū bào cūn liú

长夏江村事事幽。
cháng xià jiāng cūn shì shì yōu

自去自来梁上燕，
zì qù zì lái liáng shàng yàn

相亲相近水中鸥。
xiāng qīn xiāng jìn shuǐ zhōng ōu

老妻画纸为棋局，
lǎo qī huà zhǐ wéi qí jú

稚子敲针作钓钩。
zhì zǐ qiāo zhēn zuò diào gōu

多病所须唯药物，
duō bìng suǒ xū wéi yào wù

微躯此外更何求！
wēi qū cǐ wài gèng hé qiú

【注释】 ①抱：围绕。 ②长夏：盛夏。

【解说】 清澈的江水绕着村庄弯弯曲曲地向东流去，盛夏季节，江村到处都显得幽静有趣。来去自由的燕子在梁上作巢，相亲相爱的鸥鸟在水中游来游去。妻子一行复一行地在纸上画线制作棋局，孩子在耐心地把衣针敲弯做成钓钩。自己体弱多病，只要能得到一些药物来治疗，那就什么也不企求了。诗人用明快的笔调勾画了自己的居处，表现了诗人自得其乐的生活乐趣。

客至 kè zhì

杜甫 dù fǔ

舍南舍北皆春水，
shè nán shè běi jiē chūn shuǐ

但见群鸥日日来。
dàn jiàn qún ōu rì rì lái

花径不曾缘客扫，
huā jìng bù céng yuán kè sǎo

蓬门今始为君开。
péng mén jīn shǐ wèi jūn kāi

盘飧市远无兼味，
pán sūn shì yuǎn wú jiān wèi

樽酒家贫只旧醅。
zūn jiǔ jiā pín zhǐ jiù pēi

肯与邻翁相对饮，
kěn yǔ lín wēng xiāng duì yǐn

隔篱呼取尽余杯。
gé lí hū qǔ jìn yú bēi

【注释】 ①但：只。 ②缘：因为。 ③蓬门：蓬草编结的门。 ④飧：熟食。无兼味：指饭菜不丰富。
⑤旧醅：没过滤的陈酒。

【解说】 我家的南面和北面都是清清的湖水，只见成群的鸥鸟天天飞来。满是花草的小路不曾因为迎客而打扫，今天您来做客，草门才敞开。因为家离市场远，盘中的饭菜很简单，因为家贫，坛里也只是普通的陈酒。客人如不介意跟我相邻的老农对饮，就唤他来一同喝完这些剩酒吧。此诗写在家里欢迎来客的情景，亲切自然，洋溢着浓郁的生活气息。

101

jué jù màn xìng
绝句漫兴

dù fǔ
杜 甫

sǎn jìng yáng huā pū bái zhān
穇 径 杨 花 铺 白 毡,

diǎn xī hé huā dié qīng qián
点 溪 荷 花 叠 青 钱。

sǔn gēn zhì zǐ wú rén jiàn
笋 根 雉 子 无 人 见,

shā shàng fú chú bàng mǔ mián
沙 上 凫 雏 傍 母 眠。

【注释】 ①穇:米粒。 ②点:点缀。青钱:铜钱。这里用以比喻荷花。 ③雉子:小野鸡。 ④凫雏:小野鸭。

【解说】 米粒似的柳絮散落在小路上像是铺了一层白毡,溪水里点缀着的荷花像是一叠叠铜钱。竹笋丛中小野鸡走来走去旁若无人,沙洲上小鸭子正靠着母鸭在安睡。诗人勾画了一幅自然恬静的初夏景色,读后令人陶醉。

chūn yè xǐ yǔ
春夜喜雨

dù fǔ
杜甫

hǎo yǔ zhī shí jié
好雨知时节，

dāng chūn nǎi fā shēng
当春乃发生。

suí fēng qián rù yè
随风潜入夜，

rùn wù xì wú shēng
润物细无声。

yě jìng yún jù hēi
野径云俱黑，

jiāng chuán huǒ dú míng
江船火独明。

xiǎo kàn hóng shī chù
晓看红湿处，

huā zhòng jǐn guān chéng
花重锦官城。

【注释】 ①好雨：指春雨。 ②乃：就是。发生：指植物萌发生长。 ③润物：万物受到水分的滋润。
④花重：花沾雨水，显出饱满沉重的样子。锦官城：今四川成都。

【解说】 这一场雨好像选好了时候，正当植物萌发生长需要的节气，它随着春风在夜里悄悄地滋润着大地万物。雨夜中野外黑茫茫，江船上的灯火格外明亮。要是天亮后看看这春雨后的锦官城，那将是繁花盛开的世界。诗人怀着喜悦的心情抒发了对春夜雨景的特殊感情，春雨的特点和品性写得十分细腻、准确。

zèng huā qīng
赠 花 卿

dù fǔ
杜 甫

jǐn chéng sī guǎn rì fēn fēn
锦 城 丝 管 日 纷 纷，
bàn rù jiāng fēng bàn rù yún
半 入 江 风 半 入 云。
cǐ qǔ zhǐ yīng tiān shàng yǒu
此 曲 只 应 天 上 有，
rén jiān néng dé jǐ huí wén
人 间 能 得 几 回 闻！

【注释】 ①锦城：今四川成都。丝管：弦乐和管乐的总称。纷纷：指看不见摸不着的抽象乐曲。 ②江：指流经成都城郊的锦江。 ③天上：双关语，表面上指天宫，实指帝王。

【解说】 花卿家每天用管弦乐器奏出轻悠和谐的音乐，那悠扬动听的乐曲从宴席上飞出，随风荡漾在锦江上，冉冉飘入蓝天白云间。这美妙的乐曲只应天上神仙才有，世间的平民百姓能听到几回呢？诗人形象地描绘了乐曲的美妙，最后一句透露出全诗的正意，对不顾国家困难与人民疾苦而天天过着帝王一般生活的官吏予以讽刺。

jiāng pàn dú bù xún huā
江 畔 独 步 寻 花

dù fǔ
杜 甫

huáng shī tǎ qián jiāng shuǐ dōng
黄 师 塔 前 江 水 东,
chūn guāng lǎn kùn yǐ wēi fēng
春 光 懒 困 倚 微 风。
táo huā yī cù kāi wú zhǔ
桃 花 一 簇 开 无 主,
kě ài shēn hóng ài qiǎn hóng
可 爱 深 红 爱 浅 红?

【注释】 ①一簇：一丛。

【解说】 这是一首写景诗,诗中反映出作者对这种生活的喜悦心情。黄师塔前的江水向东流去,春光把人熏得又懒又困,我倚仗着暖洋洋的春风在游春。桃花一丛一丛地盛开着,仿佛是没有主人,你究竟是喜爱深红的桃花还是浅红色的桃花?诗人陶醉在大自然的美景中,大自然的百般妩媚使得诗人也不知"深红"美,还是"浅红"美。

jiāng pàn dú bù xún huā
江 畔 独 步 寻 花

dù fǔ
杜 甫

huáng sì niáng jiā huā mǎn xī
黄 四 娘 家 花 满 蹊，
qiān duǒ wàn duǒ yā zhī dī
千 朵 万 朵 压 枝 低。
liú lián xì dié shí shí wǔ
留 连 戏 蝶 时 时 舞，
zì zài jiāo yīng qià qià tí
自 在 娇 莺 恰 恰 啼。

【注释】 ①黄四娘：杜甫住在四川浣花溪边时的女邻居。蹊：小路。 ②恰恰：频频、不断。
【解说】 诗写诗人在浣花溪畔一人漫步时所见的生机勃勃的春景。黄四娘家周围小路两旁开满了各
种各样的花朵，繁花把枝条压得低垂。蝴蝶被花儿深深吸引，时时在花上戏耍飞舞；可爱的黄莺自由自
在地在花间欢跳鸣唱，各得其乐，生趣盎然。诗中充满了诗人对生活的热爱之情。

106

闻官军收河南河北

杜甫

剑外忽传收蓟北，
初闻涕泪满衣裳。
却看妻子愁何在，
漫卷诗书喜欲狂。
白日放歌须纵酒，
青春作伴好还乡。
即从巴峡穿巫峡，
便下襄阳向洛阳。

【注释】 ①剑外：剑门关外。这里指蜀地。蓟北：在今河北省北部。 ②却看：回看。 ③青春：指春天。
④巴峡：这里指长江三峡的西陵峡。

【解说】 在剑门关外忽然听到官军已收复河南、河北一带，高兴得泪水都沾湿了我的衣裳。回头看妻子儿女的忧愁也都已消失，我随意地手卷书本，高兴得简直要发狂。我忍不住在这阳光明媚的日子里纵情高歌，开怀畅饮，一路春光可以伴我回故乡了。我要即刻从巴峡穿过巫峡，又直下襄阳回老家洛阳。这是一首著名的抒情诗，诗人用奔放的语言和欢快的节奏，抒发了难以抑制的喜悦之情。

jué jù
绝句

dù fǔ
杜 甫

chí rì jiāng shān lì
迟 日 江 山 丽,
chūn fēng huā cǎo xiāng
春 风 花 草 香。
ní róng fēi yàn zǐ
泥 融 飞 燕 子,
shā nuǎn shuì yuān yāng
沙 暖 睡 鸳 鸯。

【注释】 ①迟日:指春日。 ②泥融:泥土酥软。 ③鸳鸯:一种水鸟,常成对地生活在水上。

【解说】 这是一首极富诗情画意的小诗。春天来临,江山显得格外秀丽,春风吹拂,送来了花草的香味。泥土酥软,燕子双双飞来飞去,那边暖和的沙滩上,一对一对的鸳鸯静睡不动。全诗紧扣春天这个中心,动静结合,色彩明快,把自然界的勃勃生机展示在读者的面前。

绝句 (jué jù)

杜甫 (dù fǔ)

江碧鸟逾白，
jiāng bì niǎo yú bái

山青花欲燃。
shān qīng huā yù rán

今春看又过，
jīn chūn kàn yòu guò

何日是归年？
hé rì shì guī nián

【注释】　①逾：更加。
【解说】　江水碧绿，鸟的羽毛更加显得洁白，山峦青翠，红艳艳的花朵仿佛要燃烧起来。今年的春天眼看又要过去，哪一天才是我回归故里的日子？诗人通过绿、白，青、红的色彩对比，来表现此时此刻身闲心急的感情对比，能勾起读者触景生情的感受，别有意韵。

jué jù
绝 句

dù fǔ
杜 甫

liǎng gè huáng lí míng cuì liǔ
两 个 黄 鹂 鸣 翠 柳,

yī háng bái lù shàng qīng tiān
一 行 白 鹭 上 青 天。

chuāng hán xī lǐng qiān qiū xuě
窗 含 西 岭 千 秋 雪,

mén bó dōng wú wàn lǐ chuán
门 泊 东 吴 万 里 船。

【注释】 ①窗含:窗对雪岭,好似窗框里的画。西岭:成都西面的岷山。 ②泊:停船靠岸。东吴:指长江下游一带。

【解说】 两只黄鹂在翠柳里鸣叫,一行白鹭正飞上蓝天。从窗口可以望到远处西山上长年不化的积雪,门外江边停泊着行程万里而来的东吴的船只。诗人站在草堂远眺外面景观,动静远近,写得参差错落,有声有色。

旅夜书怀
lǚ yè shū huái

杜甫
dù fǔ

细草微风岸，
xì cǎo wēi fēng àn

危樯独夜舟。
wēi qiáng dú yè zhōu

星垂平野阔，
xīng chuí píng yě kuò

月涌大江流。
yuè yǒng dà jiāng liú

名岂文章著？
míng qǐ wén zhāng zhù

官应老病休。
guān yīng lǎo bìng xiū

飘飘何所似？
piāo piāo hé suǒ sì

天地一沙鸥。
tiān dì yī shā ōu

【注释】 ①危樯：高高的桅杆。　②垂：低垂。　③官应老病休：这是"老病应休官"的倒文。

【解说】 微风吹拂着江岸边的小草，竖着高高的桅杆的小舟独自行驶在夜色中。远处的星星低挂在广阔的平野上，月影随着江涛翻动。一个人的名声难道仅因为文章好而显赫？如今我年老多病应免去官职。现在漂泊奔波像什么呢？正如在海上飞翔的一只沙鸥呢！此诗前四句写景，后四句抒情。作者借景抒发自己伤感的情怀，令人同情之心油然而起。

dēng gāo
登高

dù fǔ
杜甫

fēng jí tiān gāo yuán xiào āi
风急天高猿啸哀,

zhǔ qīng shā bái niǎo fēi huí
渚清沙白鸟飞回。

wú biān luò mù xiāo xiāo xià
无边落木萧萧下,

bù jìn cháng jiāng gǔn gǔn lái
不尽长江滚滚来。

wàn lǐ bēi qiū cháng zuò kè
万里悲秋常作客,

bǎi nián duō bìng dú dēng tái
百年多病独登台。

jiān nán kǔ hèn fán shuāng bìn
艰难苦恨繁霜鬓,

liáo dǎo xīn tíng zhuó jiǔ bēi
潦倒新停浊酒杯。

【注释】 ①猿啸:猿长鸣声。 ②渚:水中小沙洲。回:回旋。 ③萧萧:风吹落叶声。

【解说】 秋风阵阵,天高云淡,耳边传来了猿的哀鸣声,江水清清,沙洲雪白,鸟儿迎风飞旋。无边无际的树叶被萧萧秋风吹落,无穷无尽的长江滚滚而来。眼前到处是悲凉的秋天景象,我仍流落他乡,一生多病而今竟独自登高。生活的艰辛,内心的痛苦,使得我两鬓苍苍。本可以借酒浇愁,可是偏偏又生了病而被迫戒酒,使我更感到苦闷。诗人从大处落笔,写得境界宏阔,气势磅礴,充分显示了杜诗的"沉郁顿挫"的艺术风格。

dēng yuè yáng lóu
登 岳 阳 楼

dù fǔ
杜 甫

xī wén dòng tíng shuǐ
昔 闻 洞 庭 水，

jīn shàng yuè yáng lóu
今 上 岳 阳 楼。

wú chǔ dōng nán chè
吴 楚 东 南 坼，

qián kūn rì yè fú
乾 坤 日 夜 浮。

qīn péng wú yī zì
亲 朋 无 一 字，

lǎo bìng yǒu gū zhōu
老 病 有 孤 舟。

róng mǎ guān shān běi
戎 马 关 山 北，

píng xuān tì sì liú
凭 轩 涕 泗 流。

【注释】 ①坼：分开。 ②戎马：战马。 ③凭轩：靠着窗槛。轩，有窗槛的长廊或小室。

【解说】 过去曾听说过洞庭湖，今日方才登上岳阳楼。春秋时期的吴国和楚国的故地被湖水分开，天地好像是在湖中日夜飘浮。亲友们没有给我一封信，伴着老病的我只有孤舟一叶。西北地区又一次燃起战火，我靠着窗槛不禁涕泪满面。诗以喜得登楼开始，以国家多难作结，中间的景物的阔大和自己漂泊的痛苦相映衬，获得很好的艺术效果。

113

jiāng nán féng lǐ guī nián
江 南 逢 李 龟 年

dù fǔ
杜 甫

qí wáng zhái lǐ xún cháng jiàn
岐 王 宅 里 寻 常 见，
cuī jiǔ táng qián jǐ dù wén
崔 九 堂 前 几 度 闻。
zhèng shì jiāng nán hǎo fēng jǐng
正 是 江 南 好 风 景，
luò huā shí jié yòu féng jūn
落 花 时 节 又 逢 君。

【注释】 ①李龟年：唐朝著名音乐家。 ②岐王：唐玄宗之弟李范，封岐王。 ③崔九：贵族崔涤，排行第九，与唐玄宗关系密切。

【解说】 这是一首抚今怀昔的伤感诗。过去，我常常在岐王的家里见到您，在崔九家也几次听过您的歌声。如今正是风景优美的江南繁花凋谢的季节，没想到迟暮之年又在这里遇到了您。全诗未露一字半句的伤感情绪，但细细品味，诗人年老时饱经社会的丧乱后对年轻时天下承平生活的追忆，不免有一种凄凉悲怆的感觉。

114

bā zhèn tú
八 阵 图

dù fǔ
杜 甫

gōng gài sān fēn guó
功 盖 三 分 国，

míng chéng bā zhèn tú
名 成 八 阵 图。

jiāng liú shí bù zhuǎn
江 流 石 不 转，

yí hèn shī tūn wú
遗 恨 失 吞 吴。

【注释】 ①八阵图：由八种阵势组成的操练图形，诸葛亮曾用过此阵。 ②盖：超过。三国：指三国时魏、蜀、吴三国。

【解说】 他的功劳是建立三分天下的鼎足之势，他的名声是创造了八阵图。江水流逝但此功名永存，遗憾的是没有吞并东吴。诗的前两句写诸葛亮在创立蜀汉政权中的盖世功业；后两句则说刘备未能坚持诸葛亮联吴伐魏的战略方针，造成诸葛亮的生平遗恨。

春行寄兴 chūn xíng jì xìng

李华 lǐ huá

宜阳城下草萋萋，
yí yáng chéng xià cǎo qī qī

涧水东流复向西。
jiàn shuǐ dōng liú fù xiàng xī

芳树无人花自落，
fāng shù wú rén huā zì luò

春山一路鸟空啼。
chūn shān yī lù niǎo kōng tí

【注释】 ①萋萋：形容草茂盛。 ②涧水：山沟里的水。

【解说】 宜阳城下的草，长得非常茂盛，山涧的水向东又转向西流去。芬芳的花儿无人欣赏也就自己零落了，在春光满山的小路上，鸟儿在空阔山林中孤独地鸣叫。诗人写暮春的风景，草、水、树、鸟，动静结合，声色俱美，仿佛把读者也带到了这种意境中。花开无人赏，鸟鸣无人听，作者的失意和不遇知音的心情也自然可见。

送人赴安西

sòng rén fù ān xī

岑参
cén shēn

上 马 带 吴 钩，
shàng mǎ dài wú gōu

翩 翩 度 陇 头。
piān piān dù lǒng tóu

小 来 思 报 国，
xiǎo lái sī bào guó

不 是 爱 封 侯。
bù shì ài fēng hóu

万 里 乡 为 梦，
wàn lǐ xiāng wéi mèng

三 边 月 作 愁。
sān biān yuè zuò chóu

早 须 清 黠 虏，
zǎo xū qīng xiá lǔ

无 事 莫 经 秋。
wú shì mò jīng qiū

【注释】 ①吴钩：一种产于吴地略带弯形的刀。 ②陇头：指陕西省陇县西北。陇北地区是古代通往西域的要道。 ③黠虏：狡猾的敌人。

【解说】 佩挂着吴钩跨上骏马，英姿勃勃地越过陇头。从小就立志报效国家，杀敌立功不是为了做官。有时梦中会回到故乡，边疆的月色会产生别离忧愁之情。希望早日扫清外敌，边疆无事能在秋天归来。这是一首送朋友赴边境卫国驱敌的诗。诗中充满爱国的豪情和祝愿早日凯旋的殷切之情。

xíng jūn jiǔ rì sī cháng ān gù yuán
行 军 九 日 思 长 安 故 园

cén shēn
岑 参

qiǎng yù dēng gāo qù
强 欲 登 高 去，
wú rén sòng jiǔ lái
无 人 送 酒 来。
yáo lián gù yuán jú
遥 怜 故 园 菊，
yīng bàng zhàn chǎng kāi
应 傍 战 场 开。

【注释】 ①唐肃宗至德二年(757 年)九月，岑参在行军中度重阳节。长安仍陷落在叛军手里。 ②登
高：古人在九月九日重阳节有登高饮菊花酒的习俗。

【解说】 这是一首言简意赅的抒情诗。我勉强想登高饮酒，可是无人送酒来，遥想可怜的长安故园的
菊花，该是在战场的断墙残壁间寂寞地开放着。这首诗表现的不是一般的节日思乡念亲，而是对国事
的忧虑和对战乱中人民疾苦的关切。

qì zhōng zuò
碛 中 作

cén shēn
岑 参

zǒu mǎ xī lái yù dào tiān
走 马 西 来 欲 到 天，

cí jiā jiàn yuè liǎng huí yuán
辞 家 见 月 两 回 圆。

jīn yè wèi zhī hé chù sù
今 夜 未 知 何 处 宿，

píng shā wàn lǐ jué rén yān
平 沙 万 里 绝 人 烟。

【注释】 ①碛：沙漠。 ②走马：跑马。 ③绝：没有。

【解说】 这首诗表现了诗人在赴西北边防军任职途中思乡的心情。骑着快马向西而去，快要到天边了还未到任所。离家已经两个月了，眼前是万里平沙荒无人烟的地方，今晚还不知道什么地方可以寄宿呢！路远，时长，处地荒凉，此情此景，怎么能不引起对家园的思恋呢？这首诗写得婉转含蓄，耐人寻味。

féng rù jīng shǐ
逢入京使

cén shēn
岑 参

gù yuán dōng wàng lù màn màn
故园 东 望 路 漫漫,
shuāng xiù lóng zhōng lèi bù gān
双 袖 龙 钟 泪 不 干。
mǎ shàng xiāng féng wú zhǐ bǐ
马 上 相 逢 无 纸 笔,
píng jūn chuán yǔ bào píng ān
凭 君 传 语 报 平 安。

【注释】　①逢入京使:遇到了回京的使者。作者当时在赴安西边防途中。　②故园:家乡,此指长安。
③龙钟:原指体衰,这里形容流泪的样子。　④凭:凭着,依靠。
【解说】　向东望着家乡的方向,路是那么遥远,一眼望不到头,每想到故乡,又难通一封书信,使我伤
心的泪水把衣袖都沾湿了,止不住地流。骑马赶路时,正好碰上回京的使者,因为没有纸笔,只好托你
给家里捎带一个平安的口信。此诗语言朴实无华,不事雕琢,既有诗人对故乡的眷恋,也表现了诗人开
阔豪迈的胸襟。

shān fáng chūn shì
山 房 春 事

cén shēn
岑 参

liáng yuán rì mù luàn fēi yā
梁 园 日 暮 乱 飞 鸦，

jí mù xiāo tiáo sān liǎng jiā
极 目 萧 条 三 两 家。

tíng shù bù zhī rén qù jìn
庭 树 不 知 人 去 尽，

chūn lái hái fā jiù shí huā
春 来 还 发 旧 时 花。

【注释】 ①梁园：西汉景帝时梁孝王宫苑。这里借指富贵人家。 ②极目：放眼望。萧条：荒凉。

【解说】 这是一首怀古诗，通过梁园的变迁，抒发了诗人憎恨战争的思想感情。黄昏时分，梁园里有一群乌鸦徘徊飞旋，远远望去，昔日的梁园已变得荒凉，只有三两户人家坐落在废墟中。庭院里树木花草不知时过境迁，到了春天依然含苞欲放，开花抽条。

xì wèn huā mén jiǔ jiā wēng
戏 问 花 门 酒 家 翁

cén shēn
岑 参

lǎo rén qī shí réng gū jiǔ
老 人 七 十 仍 沽 酒,

qiān hú bǎi wèng huā mén kǒu
千 壶 百 瓮 花 门 口。

dào páng yú jiá qiǎo sì qián
道 旁 榆 荚 巧 似 钱,

zhāi lái gū jiǔ jūn kěn fǒu
摘 来 沽 酒 君 肯 否?

【注释】　①花门：旅店门。　　②沽酒：可作卖酒，也可作买酒。　　③榆荚：榆树的果实，形状像铜钱。

【解说】　这是一首充满生活情趣的诗。老人七十岁了仍在卖酒，在花门楼口放着各种酒坛子。路旁的榆荚像铜钱一样，摘下来买酒你肯是不肯？此诗风趣、诙谐，抒发了作者愉快舒畅的心情。

yuè yè
月 夜

liú fāng píng
刘 方 平

gēng shēn yuè sè bàn rén jiā
更 深 月 色 半 人 家，

běi dǒu lán gān nán dǒu xié
北 斗 阑 干 南 斗 斜。

jīn yè piān zhī chūn qì nuǎn
今 夜 偏 知 春 气 暖，

chóng shēng xīn tòu lù chuāng shā
虫 声 新 透 绿 窗 纱。

【注释】 ①阑干：横斜的样子。 ②偏知：出乎意料地感觉到。 ③新：首次。

【解说】 深夜的月色斜照着半边庭院，北斗星和南斗星横斜在夜空。今夜意外地感觉到春天的温暖，初春的虫叫声首次透入了绿色的窗纱。诗中通过月夜中对"春气"的感受和虫声初闻的描写，向读者传达了一个温暖的信息——春天到了。

fù xīn yuè
赋 新 月

miào shì zǐ
缪 氏 子

chū yuè rú gōng wèi shàng xián
初 月 如 弓 未 上 弦，

fēn míng guà zài bì xiāo biān
分 明 挂 在 碧 霄 边。

shí rén mò dào é méi xiǎo
时 人 莫 道 蛾 眉 小，

sān wǔ tuán yuán zhào mǎn tiān
三 五 团 圆 照 满 天。

【注释】 ①赋：铺写，歌颂。新月：阴历月初形如弯钩的月亮。缪氏子：姓缪的孩子，从小聪慧。 ②未上弦：新月还没有到半圆。 ③碧霄：蓝天。

【解说】 这首诗的小作者借咏新月来表达自己的远大志向。新月如弯弓还没有到半个圆，却分明在天边斜挂着。人们不要小看它只像弯弯的眉毛，等到十五夜，它会团圆完满，光照天下。诗的意思是说，别看我现在年纪小，长大了可要做光照天下的大事业。

124

枫 桥 夜 泊
fēng qiáo yè bó

张 继
zhāng jì

月 落 乌 啼 霜 满 天，
yuè luò wū tí shuāng mǎn tiān

江 枫 渔 火 对 愁 眠。
jiāng fēng yú huǒ duì chóu mián

姑 苏 城 外 寒 山 寺，
gū sū chéng wài hán shān sì

夜 半 钟 声 到 客 船。
yè bàn zhōng shēng dào kè chuán

【注释】 ①枫桥：在苏州城外的枫桥镇。 ②江枫：江边的枫树。 ③姑苏：苏州的别称。寒山寺：在枫桥的东边。

【解说】 月亮西沉，乌鸦啼叫，寒气阵阵，仿佛秋霜布满了云天，伴着江边的枫树，对着江中渔家的灯火，思乡的忧愁使我难以入眠。半夜里，姑苏城外寒山寺沉闷的钟声响起，悠悠地飘进了我的船舱。这是一首著名的描写江南水乡秋夜的诗。诗中幽静的秋夜景色，意境清远，情景交融，余韵无穷。

mù chūn guī gù shān cǎo táng
暮春归故山草堂

qián qǐ
钱 起

gǔ kǒu chūn cán huáng niǎo xī
谷口春残黄鸟稀，

xīn yí huā jìn xìng huā fēi
辛夷花尽杏花飞。

dú lián yōu zhú shān chuāng xià
独怜幽竹山窗下，

bù gǎi qīng yīn dài wǒ guī
不改清阴待我归。

【注释】　①黄鸟：黄莺鸟。　②辛夷：即木兰，春天开紫花。　③独怜：只爱。

【解说】　此诗将花、鸟与竹对比，突出表现了幽竹超然于世的美好品格。山谷口春色将去，黄莺的鸣叫声也渐渐地稀少，辛夷花落尽时杏花纷纷飘落。这时只感到窗前的幽幽翠竹是那么的可爱，依旧不改它那亭亭清姿，似乎在等待我归来。

guī yàn
归 雁

qián qǐ
钱 起

xiāo xiāng hé shì děng xián huí
潇 湘 何 事 等 闲 回 ?
shuǐ bì shā míng liǎng àn tái
水 碧 沙 明 两 岸 苔 。
èr shí wǔ xián tán yè yuè
二 十 五 弦 弹 夜 月 ,
bù shèng qīng yuàn què fēi lái
不 胜 清 怨 却 飞 来 ?

【注释】 ①潇湘:湖南有潇水、湘江。湖南衡阳有回雁峰,相传北雁南飞,至此即回。等闲:随便。
②二十五弦:指古乐器瑟。

【解说】 大雁啊,你为什么要离开那环境优美、水草丰盛的潇水、湘江而回来呢?是不是湘江女神在月
夜下弹瑟,那瑟声凄凉哀怨,你不忍听下去才飞回北方来的?诗人是浙江人,一直在长安一带作官。诗
人借写充满客愁的旅雁,婉转地表达久居他乡的思乡之情。诗中景色清幽,联想丰富,构思奇特。

送彭将军
sòng péng jiāng jūn

郎士元
láng shì yuán

双旌汉飞将，
shuāng jīng hàn fēi jiàng

万里独横戈。
wàn lǐ dú héng gē

春色临关尽，
chūn sè lín guān jìn

黄云出塞多。
huáng yún chū sài duō

鼓鼙悲绝漠，
gǔ pí bēi jué mò

烽戍隔长河。
fēng shù gé cháng hé

莫断阴山路，
mò duàn yīn shān lù

天骄已请和。
tiān jiāo yǐ qǐng hé

【注释】 ①双旌：节度使所用的两面旗帜。汉飞将：指李广，这里借比彭将军。 ②鼓鼙：军中乐器大鼓和小鼓。悲：悲壮激越。绝漠：大沙漠。 ③烽戍：边防报警设施。长河：黄河。 ④天骄：泛指强敌。

【解说】 双旌飘扬下的彭将军，独自一人领兵守卫万里北疆。春天到了边境就失去了春色，塞外多见的是黄色的阴云。战鼓声声震大漠，烽戍重重隔黄河。不要截断阴山的通路，因为强敌已向大唐求和。与充满凄凉悲切的送别诗不同，这首诗给读者展现的是一个英武的将军形象和诗人的乐观情绪。

柏林寺南望

bǎi lín sì nán wàng

柏林寺南望

láng shì yuán

郎士元

xī shàng yáo wén jīng shè zhōng
溪 上 遥 闻 精 舍 钟，
bó zhōu wēi jìng dù shēn sōng
泊 舟 微 径 度 深 松。
qīng shān jì hòu yún yóu zài
青 山 霁 后 云 犹 在，
huà chū xī nán sì wǔ fēng
画 出 西 南 四 五 峰。

【注释】 ①精舍：寺庙。这里指柏林寺。 ②微径：小路。度：经过。 ③霁：雨后初晴。
【解说】 在溪上远远地听到柏林寺的钟声，我停下小船，穿过山间小路和深密的松林。雨后天晴远眺，青山上浮云还在飘游，西南处的几座山峰就像是用画笔描绘出来似的。此诗描写了雨后柏林寺周围的景色，反映了诗人热爱自然、热爱生活的心情。

tīng lín jiā chuī shēng
听邻家吹笙

láng shì yuán
郎士元

fèng chuī shēng rú gé cǎi xiá
凤 吹 声 如 隔 彩 霞,

bù zhī qiáng wài shì shuí jiā
不 知 墙 外 是 谁 家。

chóng mén shēn suǒ wú xún chù
重 门 深 锁 无 寻 处,

yí yǒu bì táo qiān shù huā
疑 有 碧 桃 千 树 花。

【注释】 ①凤吹声:形容笙声如凤凰鸣叫。 ②重门:一道道门。

【解说】 悠扬悦耳的曲声如同鸾凤鸣叫,隔着彩霞从天上传下来,不知吹笙的是墙外的哪一户人家。一道道的门紧锁着无处可寻找,那里或许是长满碧桃开满鲜花的神仙境地吧。这首诗用比喻和想象的手法,从听笙写起,极其浪漫地创造了一个引人入胜的意境。

hán shí
寒 食

hán hóng
韩翃

chūn chéng wú chù bù fēi huā
春 城 无 处 不 飞 花，

hán shí dōng fēng yù liǔ xié
寒 食 东 风 御 柳 斜。

rì mù hàn gōng chuán là zhú
日 暮 汉 宫 传 蜡 烛，

qīng yān sàn rù wǔ hóu jiā
轻 烟 散 入 五 侯 家。

【注释】 ①寒食：清明前两天，按风俗家家禁火，只吃现成食物，故名寒食。 ②传蜡烛：寒食节普天下禁火，但权贵宠臣可得到皇帝恩赐而燃烛。 ③五侯：指宦官宠臣。

【解说】 春天的长安城内处处柳絮飞舞、落花飘散，寒食节皇宫里的柳丝随风飘舞。天色已暗下来了，皇宫里却传递着朝廷特赐的蜡烛，袅袅的烛烟飘进了宦官权贵的家里。诗人在诗中比较注重寒食节景象的描绘，并以汉喻今，流露了诗人对宦官权势日盛、朝政日非的忧郁心情。

sù shí yì shān zhōng
宿石邑山中

hán hóng
韩翃

fú yún bù gòng cǐ shān qí
浮 云 不 共 此 山 齐，

shān ǎi cāng cāng wàng zhuǎn mí
山 霭 苍 苍 望 转 迷。

xiǎo yuè zàn fēi gāo shù lǐ
晓 月 暂 飞 高 树 里，

qiū hé gé zài shù fēng xī
秋 河 隔 在 数 峰 西。

【注释】 ①不共：不与。 ②山霭：山中雾气。苍苍：山色迷蒙的样子。 ③秋河：指天上的银河。

【解说】 高山上的浮云散乱地飘在山顶下，山中的雾气苍茫一片，令人难辨景物。早晨的月亮随着人行穿行在高高的树林里，天上的银河被隔在几座山峰的西侧。这是一首写景诗，诗人通过"浮云"、"山霭"、"晓月"写出了山中变化不定的景色。

jiāng cūn jí shì
江村即事

sī kōng shǔ
司空曙

diào bà guī lái bù xì chuán
钓罢归来不系船，

jiāng cūn yuè luò zhèng kān mián
江村月落正堪眠。

zòng rán yī yè fēng chuī qù
纵然一夜风吹去，

zhǐ zài lú huā qiǎn shuǐ biān
只在芦花浅水边。

【注释】　①系：捆拴后打结。　②堪：可以，能够。　③纵然：即使。

【解说】　诗人用朴素自然的笔调，写江村渔人夜钓归来的情景，表现闲适自在的心情。晚上钓完鱼回来不用拴船，江村上的月亮已落了下去，正好是睡觉的时候。即使晚上起风把小船吹走，也不过吹到长满芦花的浅水边。

寻陆鸿渐不遇

皎然

移家虽带郭，
野径入桑麻。
近种篱边菊，
秋来未著花。
扣门无犬吠，
欲去问西家。
报道山中去，
归时每日斜。

【注释】 ①陆鸿渐：名羽，擅长品茶，著有《茶经》一书，被后人奉为"茶圣"。 ②移家：迁居。带郭：靠近外城。 ③欲去：想离开。

【解说】 新居离城不远，但已很幽静，沿着野外小路，直走到桑麻丛中才能见到。篱笆边新种的菊花，虽然到了秋天却还未开花。敲门无人应，也听不到有狗叫声，正想离开，还是到西边的邻居家问问吧。邻居说是主人到山中云深处，经常要到夕阳西下时才回来。此诗妙在写不遇，却刻画出一个飘然无拘的隐士形象；此诗写景，清丽优美，令人神往。

134

拜新月
bài xīn yuè

李端
lǐ duān

开帘见新月，
kāi lián jiàn xīn yuè

便即下阶拜。
biàn jí xià jiē bài

细语人不闻，
xì yǔ rén bù wén

北风吹裙带。
běi fēng chuī qún dài

【注释】　①新月：农历初三、初四夜晚的月亮。　②细语：指少女对月倾诉的轻声说话。

【解说】　拉开窗帘看到了新月，就立即在阶前下拜。少女祈祷之语不能让人听到，只见北风吹动了她的裙带。唐代流行妇女拜月的风俗，诗中少女对月说些什么心里话，谁也听不清，诗人也不交待，引而不发，说而不尽，诗写得形象而含蓄。

小儿垂钓

xiǎo ér chuí diào

胡 令 能
hú lìng néng

蓬 头 稚 子 学 垂 纶，
péng tóu zhì zǐ xué chuí lún

侧 坐 莓 苔 草 映 身。
cè zuò méi tái cǎo yìng shēn

路 人 借 问 遥 招 手，
lù rén jiè wèn yáo zhāo shǒu

怕 得 鱼 惊 不 应 人。
pà dé yú jīng bù yìng rén

【注释】 ①稚子：年纪小的孩子。纶：钓鱼用的丝线。 ②莓：一种小草。苔：苔藓，也称地衣。
③借问：向人打听。

【解说】 一个头发乱糟糟的小孩在河边学钓鱼，他侧身坐在莓苔边，野草挡住身子。过路的行人前来问路，他远远的摇手，怕惊动了鱼儿，所以不回答行人。全诗通过钓鱼小孩摇手不应这一动作，把小孩垂钓时的那种认真、专心致志的神态刻画得惟妙惟肖。

dān yáng sòng wéi cān jūn
丹阳送韦参军

yán wéi
严维

dān yáng guō lǐ sòng xíng zhōu
丹阳郭里送行舟，
yī bié xīn zhī liǎng dì qiū
一别心知两地秋。
rì wǎn jiāng nán wàng jiāng běi
日晚江南望江北，
hán yā fēi jìn shuǐ yōu yōu
寒鸦飞尽水悠悠。

【注释】 ①丹阳：今江苏省丹阳市。郭：古代城的外围加筑的外城。 ②悠悠：长久不断的样子。
【解说】 丹阳城外送朋友乘船。今天一别，我知道只能两地相思。直到天色已晚，我仍站在江南望着江北，晚归的乌鸦都已回巢，而江水还在悠悠不断地流淌着。诗人着重叙述了送别后对朋友的怀念和愁思，十分感人。

137

zhēng rén yuàn
征人怨

liǔ zhōng yōng
柳中庸

suì suì jīn hé fù yù guān
岁 岁 金 河 复 玉 关，

zhāo zhāo mǎ cè yǔ dāo huán
朝 朝 马 策 与 刀 环。

sān chūn bái xuě guī qīng zhǒng
三 春 白 雪 归 青 冢，

wàn lǐ huáng hé rào hēi shān
万 里 黄 河 绕 黑 山。

【注释】 ①岁岁：年复一年。金河：指内蒙古自治区呼和浩特市南的黑河。玉关：甘肃玉门关。 ②马策与刀环：马鞭与战刀。 ③三春：即春天三个月。青冢：指王昭君墓。此墓在塞北，传说墓上的草终年常青。 ④黑山：在今呼和浩特一带。

【解说】 这是一首流传极广的边塞诗。一年又一年，从玉关跑到金河，从金河跑到玉关；一天又一天，马鞭伴着战刀，在外杀敌作战。戍边战士整天东征西讨，春天看到的唯有白雪落向青冢；滔滔黄河，绕过沉沉黑山，复又奔腾向前进入内地，征人却只能长驻塞外。从诗里我们不仅可以看到边塞的寒苦与荒凉，也可以感受到征人转战的艰辛。

138

tí sān lǘ dà fū miào
题三闾大夫庙

dài shū lún
戴叔伦

yuán xiāng liú bù jìn
沅 湘 流 不 尽，

qū zǐ yuàn hé shēn
屈 子 怨 何 深！

rì mù qiū fēng qǐ
日 暮 秋 风 起，

xiāo xiāo fēng shù lín
萧 萧 枫 树 林。

【注释】　①三闾大夫庙：纪念屈原的庙。屈原曾当过楚国的三闾大夫。　②沅湘：沅水和湘水，都在湖南省。　③屈子：屈原。何深：多么深。　④萧萧：风吹树叶的声音。

【解说】　沅江与湘江长流不息，屈原的悲怨是多么的深沉！黄昏的江面上秋风骤起，萧萧的枫树林里满是风声。诗人怀着沉重的心情悼念爱国主义诗人屈原，语句深沉，富于感情，读了令人有一种庄严深沉的感受。

lán xī zhào gē

兰溪棹歌

dài shū lún
戴叔伦

liáng yuè rú méi guà liǔ wān
凉 月 如 眉 挂 柳 湾，
yuè zhōng shān sè jìng zhōng kàn
越 中 山 色 镜 中 看。
lán xī sān rì táo huā yǔ
兰 溪 三 日 桃 花 雨，
bàn yè lǐ yú lái shàng tān
半 夜 鲤 鱼 来 上 滩。

【注释】 ①兰溪：水名，在今浙江省兰溪市西南。棹歌：船歌。 ②越中：今浙江省中部。 ③桃花雨：桃花开时下的雨，指春雨。

【解说】 这是一首采用民歌形式写的风景诗。清冷的月亮像细细的眉毛，挂在河边的柳梢上，越中的山色倒映在平如明镜的水面上。桃花开放的时候，兰溪一连下了几天雨。半夜里，小河里的鲤鱼也高兴地跃上了河滩。诗意如画，笔触细腻，景色秀丽感人。

送人游岭南

sòng rén yóu lǐng nán

戴叔伦
dài shū lún

少别华阳万里游，
shào bié huá yáng wàn lǐ yóu

近南风景不曾秋。
jìn nán fēng jǐng bù céng qiū

红芳绿笋是行路，
hóng fāng lù sǔn shì xíng lù

纵有啼猿听却幽。
zòng yǒu tí yuán tīng què yōu

【注释】 ①华阳：江苏省金坛县西南茅山上的山洞。 ②绿笋：绿竹。 ③啼猿：猿的啼声。一般以猿啼形容悲切。

【解说】 少时离开家乡去作万里旅游，岭南的风景到了深秋还是郁郁葱葱、生气勃勃。行路两旁有绿竹红花，就是猿猴长啸，听起来反而会感到幽静。诗人送友人游岭南，将自己以往的见闻介绍给友人，鼓励友人前往。这虽是一首送别诗，却无离别忧伤之情。

寒食寄京师诸弟

hán shí jì jīng shī zhū dì
寒 食 寄 京 师 诸 弟

wéi yìng wù
韦 应 物

yǔ zhōng jìn huǒ kōng zhāi lěng
雨 中 禁 火 空 斋 冷,

jiāng shàng liú yīng dú zuò tīng
江 上 流 莺 独 坐 听。

bǎ jiǔ kàn huā xiǎng zhū dì
把 酒 看 花 想 诸 弟,

dù líng hán shí cǎo qīng qīng
杜 陵 寒 食 草 青 青。

【注释】 ①流莺:在飞行的黄莺。 ②把酒:用手端着酒杯。 ③杜陵:杜陵在陕西,唐朝京城长安南五十里,韦氏兄弟居此。

【解说】 寒食节禁火又逢阴雨,使空空的斋屋更显得清冷,独个面对春江听黄莺歌唱。端着酒杯赏花时,想起杜陵的几个弟弟,那里到寒食节该是芳草青青了。诗中抒发了诗人在寒食节思念弟弟的心情。

qiū yè jì qiū èr shí èr yuán wài
秋夜寄邱二十二员外

wéi yìng wù
韦 应 物

huái jūn zhǔ qiū yè
怀 君 属 秋 夜，
sàn bù yǒng liáng tiān
散 步 咏 凉 天。
kōng shān sōng zǐ luò
空 山 松 子 落，
yōu rén yīng wèi mián
幽 人 应 未 眠。

【注释】　①君：指邱二十二员外。属：正值，适逢。　②空山：指临平山。　③幽人：指邱二十二员外。

【解说】　我在秋天的夜晚想念着你，凉秋之夜散步吟诗。此时临平山的松子纷纷飘落下来，想必你也因思念我而未睡觉吧！自己深夜因思念而散步，却联想到朋友也会如此，可见诗人的思念之深。

143

滁州西涧

chú zhōu xī jiàn

韦应物
wéi yìng wù

独怜幽草涧边生，
dú lián yōu cǎo jiàn biān shēng

上有黄鹂深树鸣。
shàng yǒu huáng lí shēn shù míng

春潮带雨晚来急，
chūn cháo dài yǔ wǎn lái jí

野渡无人舟自横。
yě dù wú rén zhōu zì héng

【注释】　①滁州：在安徽省。　②怜：爱怜，喜爱。　③深树：树深处。　④急：猛，快。　⑤野渡：荒僻的渡口。

【解说】　这是一首富有生趣的山水诗。最可爱的是涧边生长的野草，密密的树叶中还有黄鹂在唱歌。春天的潮水不断上涨，夹带着一阵阵晚来的急雨，荒僻的渡口一个人也不见，只有那只小船管自己安闲地横在水面上。全诗把丛生的幽草、鸣叫的黄鹂、奔流的春潮、幽静的野渡组织在一起，勾画出一幅春雨初霁图。

sài xià qǔ
塞下曲

lú lún
卢纶

yuè hēi yàn fēi gāo
月 黑 雁 飞 高，
chán yú yè dùn táo
单 于 夜 遁 逃。
yù jiāng qīng qí zhú
欲 将 轻 骑 逐，
dà xuě mǎn gōng dāo
大 雪 满 弓 刀。

【注释】 ①塞下曲：古代一种歌曲名，大多描写边塞战事。 ②单于：匈奴首领。这里指边疆少数民族首领。 ③欲：想要。将：率领。逐：追逐。

【解说】 这首诗描绘了古代将士雪夜追击敌兵的情景。在乌云遮月的夜晚，天边惊起了一群大雁，原来敌军妄想悄悄逃跑。正想要率领轻骑兵去追击敌军，大雪纷纷洒满了将士们的弓和刀。此诗充满了英雄主义气概，具有强烈的魅力，读后令人振奋。

逢病军人

卢纶

行多有病住无粮，
万里还乡未到乡。
蓬鬓哀吟古城下，
不堪秋气入金疮。

【注释】　①蓬鬓：像蓬草似的乱发。　②不堪：不能忍受。金疮：刀箭的创伤。
【解说】　诗写一个伤病退伍的军人在还乡途中所遇的景况。路长，有病走不动，要住下又常常连吃的都没有，离开家乡还很远很远，不知什么时候才能走到。伤病过重，又逢秋寒更是伤痛难忍，这个头发蓬乱的伤兵只得在古城下哀吟。诗写了伤病缠身的退伍军人的苦难，令人同情。

夜上受降城闻笛
yè shàng shòu xiáng chéng wén dí

李益
lǐ yì

回乐烽前沙似雪，
huí lè fēng qián shā sì xuě

受降城外月如霜。
shòu xiáng chéng wài yuè rú shuāng

不知何处吹芦管，
bù zhī hé chù chuī lú guǎn

一夜征人尽望乡。
yī yè zhēng rén jìn wàng xiāng

【注释】 ①回乐：在今宁夏灵武西南处。烽：烽火台。 ②芦管：指用芦苇、竹子做成的乐器。 ③征人：出征在外的将士。

【解说】 回乐烽前的荒沙平似冬雪，受降城外的月色白如秋霜。不知从何处传来了哀怨的笛声，守卫边关的将士再也不能入眠，都思念起故乡。全诗情景交融，含蓄深沉，把守卫边关的将士们的思乡之情刻画得淋漓尽致，十分感人。

147

jiāng nán qǔ

江 南 曲

lǐ yì
李 益

jià dé qú táng gǔ
嫁 得 瞿 塘 贾，

zhāo zhāo wù qiè qī
朝 朝 误 妾 期。

zǎo zhī cháo yǒu xìn
早 知 潮 有 信，

jià yǔ nòng cháo ér
嫁 与 弄 潮 儿。

【注释】 ①贾：商人。 ②误妾期：耽误了与我讲好的归期。 ③潮有信：潮水的涨与落是定时的。
④弄潮儿：指熟悉水性、候潮戏水的人。

【解说】 诗写少妇的怨情和爱情。自从嫁给瞿塘的商人，他常常耽误与我讲好的归家日期。要是早知
潮水涨落从不失信，还不如嫁给弄潮的人。诗中的女子不贪富贵，不图安逸，只是追求真正的爱情，因
此发出宁嫁贫困的弄潮儿，不嫁富贵的瞿塘贾的感叹。

题 邻 居 tí lín jū

于鹄 yú hú

僻 巷 邻 家 少，
pì xiàng lín jiā shào

茅 檐 喜 并 居。
máo yán xǐ bìng jū

蒸 梨 常 共 灶，
zhēng lí cháng gòng zào

浇 薤 亦 同 渠。
jiāo xiè yì tóng qú

传 屐 朝 寻 药，
chuán jī zhāo xún yào

分 灯 夜 读 书。
fēn dēng yè dú shū

虽 然 在 城 市，
suī rán zài chéng shì

还 得 似 樵 渔。
hái dé sì qiáo yú

【注释】 ①檐：屋顶伸出的边沿部分。 ②薤：多年生草本植物，地下鳞茎可当菜吃。 ③传：送给。屐：木底的鞋。寻药：采药。 ④樵渔：打柴、捕鱼。意为过乡村生活。

【解说】 偏僻的街巷里很少有邻居，幸喜与隔壁的邻居同在一个屋檐下。蒸梨常用一个灶，浇菜也同取一条水渠里的水。早晨送来了木屐同采药，夜里分享灯光共读书。虽然我们住在城市里，还像樵夫和渔夫一样过着乡村生活。

149

jiāng nán qǔ
江 南 曲

yú hú
于 鹄

ǒu xiàng jiāng biān cǎi bái pín
偶 向 江 边 采 白 蘋,
xuán suí nǚ bàn sài jiāng shén
还 随 女 伴 赛 江 神。
zhòng zhōng bù gǎn fēn míng yù
众 中 不 敢 分 明 语,
àn zhì jīn qián bǔ yuǎn rén
暗 掷 金 钱 卜 远 人。

【注释】 ①白蘋:多年生植物,生于浅水中。 ②还:通"旋",立即。赛江神:旧俗用仪仗、鼓乐、杂戏迎神出庙,周游街巷,以祈降福。 ③语:说出来。 ④卜:推断吉凶的迷信活动。

【解说】 这是一首少妇思念丈夫的诗。偶然在江边采白蘋,见女伴去赛江神,她也立即跟着去了。人们赛江神求神降福,这位少妇在众人面前不敢把心事透露,回家暗中抛掷金钱占卜远在外地的丈夫的消息。诗写得含蓄,读来饶有趣味。

bā nǚ yáo
巴女谣

于鹄 yú hú

bā nǚ qí niú chàng zhú zhī
巴女骑牛唱竹枝，

ǒu sī líng yè bàng jiāng shí
藕丝菱叶傍江时。

bù chóu rì mù huán jiā cuò
不愁日暮还家错，

jì dé bā jiāo chū jǐn lí
记得芭蕉出槿篱。

【注释】　①巴：指四川省巴江一带。竹枝：竹枝词，民歌。　②藕丝：这里指荷叶、荷花。　③槿篱：用木槿围植作篱笆。木槿是一种落叶灌木。

【解说】　这首诗描绘了一幅牧女晚归图。巴江上铺展着菱叶，盛开着荷花，一个小女孩骑着牛，沿着江岸，唱着民歌，慢悠悠地回家去。天要黑下来了，她却不以为然，还说不怕找不到家，她家门前有一棵芭蕉高高地挺出篱笆。诗中充满了乡村的生活气息。放牧女孩天真烂漫，逗人喜爱。

yóu zǐ yín
游子吟

mèng jiāo
孟郊

cí mǔ shǒu zhōng xiàn
慈母手中线，
yóu zǐ shēn shàng yī
游子身上衣。
lín xíng mì mì féng
临行密密缝，
yì kǒng chí chí guī
意恐迟迟归。
shuí yán cùn cǎo xīn
谁言寸草心，
bào dé sān chūn huī
报得三春晖。

【注释】 ①游子：离家在外的儿子。 ②意恐：担心。 ③寸草：小草，比喻游子。 ④三春晖：春天的阳光，比喻母亲对子女的关心。

【解说】 这是一首赞美母爱的诗。儿子临走前，仁慈的母亲手里拿着针线，为出远门的儿子缝制衣服。母亲一针针缝得又密又牢，就怕孩子在外迟迟不能归来。我们做儿女的就像那路边的小草，怎能报答春天所给与的光辉呢？全诗语言朴实，感情真挚，尤其是后两句，引起了天下儿女的共鸣，拨动了儿女报答慈母养育之恩的心弦。

gǔ bié lí
古 别 离

mèng jiāo
孟 郊

yù bié qiān láng yī
欲 别 牵 郎 衣，
láng jīn dào hé chù
郎 今 到 何 处？
bù hèng guī lái chí
不 恨 归 来 迟，
mò xiàng lín qióng qù
莫 向 临 邛 去。

【注释】 ①临邛：在四川省。汉朝司马相如客游临邛，曾经和卓文君恋爱。

【解说】 送别时，边拉着丈夫的衣服，边问：你这次外出要到哪里去？我不怨恨你迟迟回家，只希望你不要把我忘记。此诗写男女别离之情，短短四行诗句，刻画了女主人公在追求美满爱情生活的同时又隐含着忧虑不安的心理。

古 怨 别
gǔ yuàn bié

孟 郊
mèng jiāo

飒 飒 秋 风 生，
sà sà qiū fēng shēng

愁 人 怨 离 别。
chóu rén yuàn lí bié

含 情 两 相 向，
hán qíng liǎng xiāng xiàng

欲 语 气 先 咽。
yù yǔ qì xiān yè

心 曲 千 万 端，
xīn qū qiān wàn duān

悲 来 却 难 说。
bēi lái què nán shuō

别 后 唯 所 思，
bié hòu wéi suǒ sī

天 涯 共 明 月。
tiān yá gòng míng yuè

【注释】 ①飒飒：风声。 ②心曲：心事。

【解说】 飒飒秋风里，一对恋人依依难舍。想对爱人说些什么，却又语塞哽咽。心中的话儿有许许多多，但看到对方那悲伤的样子，又难以诉说。分别后所想望的只是海角天涯能共有同样的明月。这首诗细致地刻画了人物丰富复杂的心理活动，生动而感人。

dēng kē hòu
登 科 后

mèng jiāo
孟 郊

xī rì wò chuò bù zú kuā
昔 日 龌 龊 不 足 夸，

jīn zhāo fàng dàng sī wú yá
今 朝 放 荡 思 无 涯。

chūn fēng dé yì mǎ tí jí
春 风 得 意 马 蹄 疾，

yī rì kàn jìn cháng ān huā
一 日 看 尽 长 安 花。

【注释】 ①登科：考上进士叫登科。 ②龌龊：指穷困局促、不得意。 ③放荡：无拘无束。

【解说】 这首诗写科举得中后的得意神态。过去不如意的苦闷日子不值一提，今天金榜题名，郁结的闷气已如风吹云散，心中有说不尽的畅快。迎着春风得意地让马儿跑得飞快，一天之内就观赏完京城长安似锦的繁花。

luò qiáo wǎn wàng
洛桥晚望

mèng jiāo
孟　郊

tiān jīn qiáo xià bīng chū jié
天 津 桥 下 冰 初 结，
luò yáng mò shàng rén xíng jué
洛 阳 陌 上 人 行 绝。
yú liǔ xiāo shū lóu gé xián
榆 柳 萧 疏 楼 阁 闲，
yuè míng zhí jiàn sōng shān xuě
月 明 直 见 嵩 山 雪。

【注释】　①洛桥：即天津桥，在今洛阳西南。　②陌：小路。　③萧疏：形容树木叶落。　④嵩山：在今洛阳东南。

【解说】　天津桥下水面上刚刚结了一层薄冰，洛阳城外的小路上一个人也没有。榆树柳树的叶子落掉了，街道上的楼阁也冷冷清清。远望城外的嵩山，只见月光照着山峰顶上的皑皑白雪。诗人把晚望中的初冬暮色收入笔下，由近及远，景象幽寂，特别是最后一句，令人精神一振，给人以特别鲜明的印象。

少年行
shào nián xíng

令狐楚
lìng hú chǔ

弓背霞明剑照霜，
gōng bèi xiá míng jiàn zhào shuāng

秋风走马出咸阳。
qiū fēng zǒu mǎ chū xián yáng

未收天子河湟地，
wèi shōu tiān zǐ hé huáng dì

不拟回头望故乡。
bù nǐ huí tóu wàng gù xiāng

【注释】　①少年行：古时歌曲名。　②走：跑。咸阳：指京城长安。　③河湟：指青海湟水流域和黄河西部，当时为异族所占。

【解说】　弓背如彩霞明亮，宝剑磨得像霜雪一样闪亮，迎着秋风跨上战马奔驰出咸阳。不收复河湟一带失地，我誓不回头眺望故乡。这是一首出征诗，诗的前两句刻画了青年将士的飒爽英姿，后两句写出了收复失地的决心。全诗语调高昂激越，洋溢着保家卫国的豪情壮志。

观祈雨
guān qí yǔ

李约
lǐ yuē

桑条无叶土生烟，
sāng tiáo wú yè tǔ shēng yān

萧管迎龙水庙前。
xiāo guǎn yíng lóng shuǐ miào qián

朱门几处看歌舞，
zhū mén jǐ chù kàn gē wǔ

犹恐春阴咽管弦。
yóu kǒng chūn yīn yè guǎn xián

【注释】 ①箫管：指吹奏乐曲。水庙：龙王庙。　②朱门：红漆大门，指富贵人家。　③咽：指乐器受潮后，不能发出悦耳的声响。

【解说】 春天大旱，久不下雨，使桑树只剩枝条，田地的土块冒烟，百姓们在龙王庙前奏乐祭拜，迎接龙王赐降春雨。而富贵人家却在欣赏歌舞，他们担心的是春雨会使乐器受潮。诗人用对比手法含蓄地讽刺富豪权贵，对农家予以无限的同情。

和练秀才杨柳
hè liàn xiù cái yáng liǔ

杨巨源
yáng jù yuán

水边杨柳曲尘丝，
shuǐ biān yáng liǔ qū chén sī

立马烦君折一枝。
lì mǎ fán jūn zhé·yī zhī

惟有春风最相惜，
wéi yǒu chūn fēng zuì xiāng xī

殷勤更向手中吹。
yīn qín gèng xiàng shǒu zhōng chuī

【注释】　①曲尘丝：像酒曲那样微黄的长条。　②烦君折一枝：多劳你折一枝杨柳赠给我。
【解说】　水边的杨柳低垂着像酒曲那样微黄的长条，分手时我勒住马缰，感激地接过送行人折下的柳枝。此时，只有春风最想留住我这个远行人，殷勤地吹拂着我手中的柳枝。折柳赠别的风俗始于汉人盛于唐人。此诗通过折柳表达了两人的深厚感情和依依惜别之情。

chūn xìng
春兴

wǔ yuán héng
武元衡

yáng liǔ yīn yīn xì yǔ qíng
杨柳阴阴细雨晴，
cán huā luò jìn xiàn liú yīng
残花落尽见流莺。
chūn fēng yī yè chuī xiāng mèng
春风一夜吹乡梦，
yòu zhú chūn fēng dào luò chéng
又逐春风到洛城。

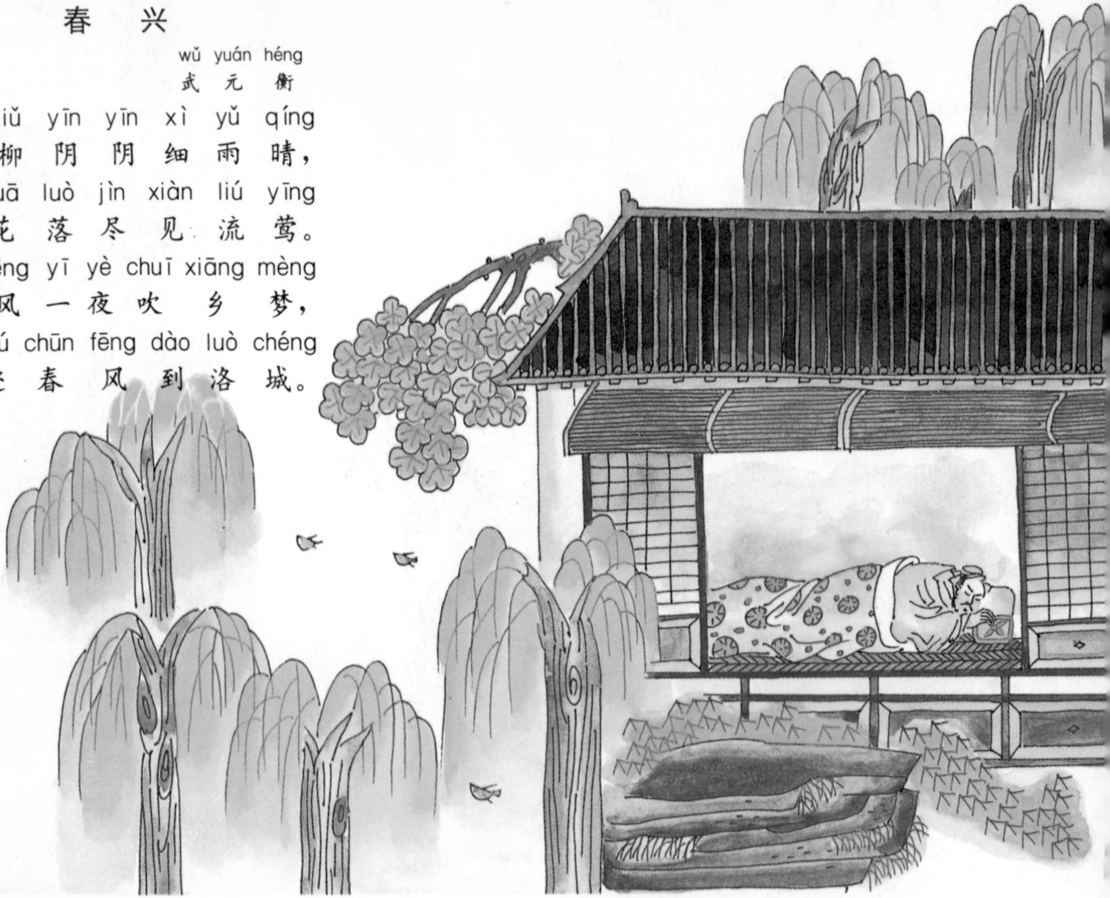

【注释】 ①阴阴：形容柳叶颜色变深。 ②见：同“现”。 ③逐：随。

【解说】 柳叶的颜色已变得翠绿，一场细雨过后天刚放晴，枝头上的残花已落尽，露出了在树上啼鸣的黄莺。客地的春景将逝，夜里的春风吹动我归乡的梦，梦中的我又随着春风回到了故乡洛阳。诗人触景生情，借暮春景物，写思乡之情。

luō gòng qǔ
啰唝曲

liú cǎi chūn
刘采春

nà nián lí bié rì
那 年 离 别 日，

zhǐ dào zhù tóng lú
只 道 住 桐 庐。

tóng lú rén bù jiàn
桐 庐 人 不 见，

jīn dé guǎng zhōu shū
今 得 广 州 书。

【注释】　①啰唝曲：即《望夫歌》。　②桐庐：今浙江桐庐。　③广州：今广东广州。

【解说】　那年分别的时候，你说是去桐庐。可是好久不见你在桐庐的音讯，今天却收到了你从广州寄来的家书，你越走越远了。此诗寥寥数语即把一位女子思念在外乡的丈夫的失望和痛苦的心情刻画了出来。语言质朴自然，思念之情却十分深沉含蓄。

tí dū chéng nán zhuāng
题 都 城 南 庄

崔护

去 年 今 日 此 门 中，
人 面 桃 花 相 映 红。
人 面 不 知 何 处 去，
桃 花 依 旧 笑 春 风。

【注释】　①人面：指一位姑娘的脸。下一句"人面"代指姑娘。　②笑：形容桃花盛开的样子。

【解说】　去年的今日在这院门里，姑娘美丽的脸庞和绯红的桃花相互映衬。如今姑娘不知到哪里去了，只有桃花依旧在春风中盛开。这是一首颇富传奇色彩的诗。诗人利用时间的推移，描写了两种不同的情景，流露出对已往美好生活不可复得的依恋之情。

岭上逢久别者又别
lǐng shàng féng jiǔ bié zhě yòu bié

权德舆
quán dé yú

十年曾一别，
shí nián céng yī bié

征路此相逢。
zhēng lù cǐ xiāng féng

马首向何处？
mǎ shǒu xiàng hé chù

夕阳千万峰。
xī yáng qiān wàn fēng

【注释】 ①马首：马头。马头所向，即骑马的人所去的方向。

【解说】 分别已有十年，今天在征路上偶然重逢。可马头又要转向别处，此时夕阳正斜照着千山万峰，前路漫漫。诗人与朋友十年前一别，而今在道上偶然相遇，互致问候后又互相告别。诗的语言朴素，平淡中饱含着深深的感慨。

题破山寺后禅院

常建

清晨入古寺，
初日照高林。
竹径通幽处，
禅房花木深。
山光悦鸟性，
潭影空人心。
万籁此俱寂，
但余钟磬音。

【注释】 ①禅房：和尚的住所。 ②悦鸟性：使鸟儿快乐。 ③空人心：使人心中什么也不想。
④万籁：一切声响。 ⑤磬：和尚念经时用的一种钵形乐器。

【解说】 清晨我走进古寺，初升的太阳照耀着树林。竹林中的小路通往寺后幽静处，禅房深掩在花木丛中。山中的景色使鸟儿快乐，清澈的潭水更使人心清净。大自然中的一切声响都已消逝，唯有那悠扬宏亮的钟磬声在这幽静的山林中回荡。全诗以朴素的语言，构设了一个幽静纯净而又令人怡悦的境界。

164

jīng xuě
惊 雪

lù chàng
陆 畅

guài dé běi fēng jí
怪 得 北 风 急，

qián tíng rú yuè huī
前 庭 如 月 晖。

tiān rén nìng xǔ qiǎo
天 人 宁 许 巧，

jiǎn shuǐ zuò huā fēi
剪 水 作 花 飞。

【注释】 ①怪得：奇怪，怎么。 ②宁：难道。许：如此，这样。

【解说】 这是一首描写雪景的小诗，除题目外，全诗未用一个"雪"字。作者用比喻、拟人的手法，形象地描绘了雪天的景色。怎么北风刮得这么大呀，屋前的院子像是月光照射似的。天上的人如此灵巧，竟然把水剪作花瓣，弄得漫天飞舞！

湘江曲 xiāng jiāng qǔ

张籍 zhāng jí

湘水无潮秋水阔，
xiāng shuǐ wú cháo qiū shuǐ kuò

湘中月落行人发。
xiāng zhōng yuè luò xíng rén fā

送人发，送人归，
sòng rén fā sòng rén guī

白蘋茫茫鹧鸪飞。
bái pín máng máng zhè gū fēi

【注释】　①潮：指波涛。　②发：出发。　③白蘋：一种水生植物。鹧鸪：鸟名，叫声如"行不得也哥哥"，听之悲切。

【解说】　这是一首送别诗。秋天的湘江风平浪静，宽广无际，江上月落时出外的人乘船而去。送人出外，我还得回去，面对茫茫的白蘋和翻飞的鹧鸪，我惆怅无限。诗人伫立江边，面对远去的小船，心中感到十分茫然。

166

成都曲 chéng dū qǔ

张籍 zhāng jí

锦江近西烟水绿，
jǐn jiāng jìn xī yān shuǐ lǜ

新雨山头荔枝熟。
xīn yǔ shān tóu lì zhī shú

万里桥边多酒家，
wàn lǐ qiáo biān duō jiǔ jiā

游人爱向谁家宿？
yóu rén ài xiàng shuí jiā sù

【注释】 ①锦江：在四川省，流经成都。 ②万里桥：在成都城南。

【解说】 锦江西面烟波浩瀚，绿水苍茫，雨后的山坡上荔枝已经成熟。城南万里桥周围有许多酒家，游人啊，你喜欢在谁家投宿呢？全诗赞美了成都的美丽和繁华的景象，抒发了诗人对成都的热爱之情。

野老歌 yě lǎo gē

张籍 zhāng jí

老翁家贫在山住，
lǎo wēng jiā pín zài shān zhù

耕种山田三四亩。
gēng zhòng shān tián sān sì mǔ

苗疏税多不得食，
miáo shū shuì duō bù dé shí

输入官仓化为土。
shū rù guān cāng huà wéi tǔ

岁暮锄犁倚空室，
suì mù chú lí yǐ kōng shì

呼儿登山收橡实。
hū ér dēng shān shōu xiàng shí

西江贾客珠满斛，
xī jiāng gǔ kè zhū mǎn hú

船中养犬长食肉。
chuán zhōng yǎng quǎn cháng shí ròu

【注释】 ①野老：老农民。 ②岁暮：年终。倚：靠着。 ③收橡实：采集野生的橡树果实。 ④贾客：商人。斛：量器名，古时以十斗为斛，后又以五斗为斛。

【解说】 这是一首反映当时农民生活的诗歌。一位贫寒的老农民住在山里，耕种三四亩田。由于土地贫瘠，庄稼长不好，但是官税多，粮食全被征入官仓霉烂成土。到了年终，除了农具就一无所有，只得与儿子一起上山采橡实充饥；而那些珠宝商人却在船中养狗，还常常用肉喂食。诗反映了封建社会极不合理的现象。诗人为贫苦农民鸣不平。

秋思

qiū sī

zhāng jí
张籍

luò yáng chéng lǐ jiàn qiū fēng
洛阳城里见秋风，
yù zuò jiā shū yì wàn chóng
欲作家书意万重。
fù kǒng cōng cōng shuō bù jìn
复恐匆匆说不尽，
xíng rén lín fā yòu kāi fēng
行人临发又开封。

【注释】 ①洛阳：在河南省。 ②家书：家信。意万重：思绪万千。 ③开封：打开信封。
【解说】 这首诗写的是诗人在秋天思念亲人的情景。秋天到了，洛阳城里刮起了秋风，想写一封信给家里，要说的话很多很多。恐怕匆匆忙忙地没有把心里的话说完，捎信的人要走时，我又打开信封看看还有什么没写。诗人通过写信和"开封"这两个细节的描写，把客居他乡思念亲人的复杂的感情，传神地表达出来了。

169

yǔ guò shān cūn
雨过山村

wáng jiàn
王 建

yǔ lǐ jī míng yī liǎng jiā
雨里鸡鸣一两家，

zhú xī cūn lù bǎn qiáo xié
竹溪村路板桥斜。

fù gū xiāng huàn yù cán qù
妇姑相唤浴蚕去，

xián zhuó zhōng tíng zhī zǐ huā
闲着中庭栀子花。

【注释】 ①妇姑：媳妇和婆婆。浴蚕：对蚕种进行清洗和消毒。 ②中庭：院子当中。栀子花：夏季开花，色白，香浓。

【解说】 这是一首风景诗，诗人用清新朴素的笔调，写出了他在雨中经过山村的情景。雨中的山村，传来了几家鸡叫声，竹林边的小溪上横斜着一座板桥。婆媳相互召唤着去浴蚕种，庭院里只闲静地开放着栀子花。

十五夜望月寄杜郎中

shí wǔ yè wàng yuè jì dù láng zhōng
十五夜望月寄杜郎中

wáng jiàn
王建

zhōng tíng dì bái shù qī yā
中庭地白树栖鸦，

lěng lù wú shēng shī guì huā
冷露无声湿桂花。

jīn yè yuè míng rén jìn wàng
今夜月明人尽望，

bù zhī qiū sī luò shuí jiā
不知秋思落谁家。

【注释】 ①十五夜：指农历八月十五的夜晚。郎中：官名。 ②地白：地上的月光。栖：歇。

【解说】 中秋的月光照射在庭院中，地上好像铺上了一层霜雪那样白，树枝上安歇着乌鸦。夜深了，清冷的秋露悄悄地打湿庭中的桂花。人们都在望着今夜的明月，不知那秋天的思念之情会落到谁的家。小诗借用中秋赏月这一习惯，巧妙含蓄地把诗人的别离思绪表现了出来。

湘中 xiāng zhōng

韩愈 hán yù

猿愁鱼踊水翻波，
yuán chóu yú yǒng shuǐ fān bō

自古流传是汨罗。
zì gǔ liú chuán shì mì luó

蘋藻满盘无处奠，
pín zǎo mǎn pán wú chù diàn

空闻渔父扣舷歌。
kōng wén yú fù kòu xián gē

【注释】 ①汨罗：汨罗江，在湖南省汨罗县。 ②蘋藻：蘋草和水藻，水生植物。奠：祭奠。 ③渔父：渔翁。屈原被放逐，在江边遇一渔父，劝屈原随波逐流。扣舷歌：敲着船舷唱歌。

【解说】 汨罗江畔山猿愁啼，水中鱼跃翻波，自古流传这就是屈原投江自沉的汨罗江。今天我采摘了满盘蘋草和水藻，却不知到哪里去祭奠屈原，此时只听到宛如当年的渔父击舷高歌的声音，令人感慨。诗人借凭吊屈原来抒发内心的怨愤和个人失意的伤感。语调悲切苍凉，感人至深。

早春呈水部

zǎo chūn chéng shuǐ bù

张 十 八 员 外

zhāng shí bā yuán wài

韩 愈
hán yù

天 街 小 雨 润 如 酥,
tiān jiē xiǎo yǔ rùn rú sū

草 色 遥 看 近 却 无。
cǎo sè yáo kàn jìn què wú

最 是 一 年 春 好 处,
zuì shì yī nián chūn hǎo chù

绝 胜 烟 柳 满 皇 都。
jué shèng yān liǔ mǎn huáng dū

【注释】 ①天街:京城的街道。酥:酥油,用牛、羊奶制成。这里形容初春细雨的滋润。 ②绝胜:远远超过。皇都:指京城长安。

【解说】 这首诗描写早春细雨,草色青嫩的初春景色。长安的街道刚下过一场小雨,就像是酥油滋润过似的,远看是一片青嫩的小草,走近时却看不清什么颜色了。早春是一年最好的时刻,远远胜过烟柳笼罩的京城长安。诗人描写细雨和小草,赞美了初春的美景。语言平实素淡,景象清新可喜。

yóu tài píng gōng zhǔ shān zhuāng
游太平公主山庄
hán yù
韩愈

gōng zhǔ dāng nián yù zhàn chūn
公主当年欲占春，

gù jiāng tái xiè yā chéng yīn
故将台榭压城闉。

yù zhī qián miàn huā duō shǎo
欲知前面花多少，

zhí dào nán shān bù shǔ rén
直到南山不属人。

【注释】　①太平公主：武则天之女。　②欲占春：想要占尽人间春光美色。　③台榭：楼台亭阁。城闉：城门外层的曲城。

【解说】　当年太平公主想占尽人间的春光美色，有意将山庄中的亭台楼阁建得高过长安的城墙。要知山庄前面的花木还有多少，直到终南山前都不属于他人。诗人表面上写太平公主的山庄，实际上是讽刺公主的霸道和奢侈。

174

晚春 wǎn chūn

韩愈 hán yù

草树知春不久归，
cǎo shù zhī chūn bù jiǔ guī

百般红紫斗芳菲。
bǎi bān hóng zǐ dòu fāng fēi

杨花榆荚无才思，
yáng huā yú jiá wú cái sī

惟解漫天作雪飞。
wéi jiě màn tiān zuò xuě fēi

【注释】 ①晚春：春季的末期。 ②斗：比赛。芳菲：花草芳香。这里泛指花的鲜艳、美丽。 ③榆荚：也叫榆钱。榆荚老时呈白色，随风飘落。才思：才华和能力。 ④惟解：只知道。

【解说】 这是一首写自然景物的小诗，颇有情趣。春天即将归去，花草树木得知消息都想留住春天的脚步，竞相吐艳争芳，霎时万紫千红，繁花似锦。就连那没有美丽颜色的杨花和榆钱也不甘寂寞，随风起舞，化作满天飞雪。诗人用拟人化的手法，寥寥数笔，就勾勒出一幅五彩缤纷、万物争艳的晚春风光图。

同水部张员外籍曲江
春游寄白二十二舍人

韩愈

漠漠轻阴晚自开，
青天白日映楼台。
曲江水满花千树，
有底忙时不肯来？

【注释】 ①水部张员外籍：即水部员外郎张籍。曲江：池名，在今西安市东南。白二十二舍人：即中书舍人白居易，兄弟中排行第二十二。 ②漠漠：迷迷蒙蒙。轻阴：指稍微有些薄雾。 ③有底：有何，有什么。时：语气助词，相当于"啊"、"呵"。

【解说】 这是一首写景诗。迷迷蒙蒙的薄雾，到傍晚时就散开了，蓝天、太阳和楼阁倒映在水中。曲江池水弥漫，岸上繁花挂满千树，朋友你在忙什么啊，怎么不来共赏美景呢？诗人为自己的朋友不能来此共赏美景而感到惋惜。

春闺思
chūn guī sī

张 仲 素
zhāng zhòng sù

袅 袅 城 边 柳,
niǎo niǎo chéng biān liǔ

青 青 陌 上 桑。
qīng qīng mò shàng sāng

提 笼 忘 采 叶,
tí lóng wàng cǎi yè

昨 夜 梦 渔 阳。
zuó yè mèng yú yáng

【注释】 ①袅袅：形容细长柔软的东西随风摆动的样子。 ②渔阳：在今天津前县一带,唐朝时设的边防。

【解说】 城边袅袅的杨柳丝,田间青青的桑树叶。提着竹篮采桑的少妇忘了采桑叶,却在凝思昨夜梦游渔阳见到戍边的丈夫时的情景。这首诗表现了少妇思念从军的丈夫而伤心怨望的主题。

qiū yè qǔ
秋 夜 曲

zhāng zhòng sù
张 仲 素

dīng dīng lòu shuǐ yè hé cháng
丁 丁 漏 水 夜 何 长，

màn màn qīng yún lù yuè guāng
漫 漫 轻 云 露 月 光。

qiū bī àn chóng tōng xī xiǎng
秋 逼 暗 虫 通 夕 响，

zhēng yī wèi jì mò fēi shuāng
征 衣 未 寄 莫 飞 霜。

【注释】　①丁丁：滴水声。漏：古时一种用滴水计算时间的器具。　②通夕：整夜。

【解说】　时间随着计时漏壶的滴水声慢慢过去，黑夜多么漫长，天上无边无际的轻云在缓慢地移动，月亮时隐时现。秋天临近，秋虫在彻夜鸣叫，丈夫的征衣还未寄去，千万别下寒霜呵。诗中描绘了一个少妇在秋月下整夜不眠思念出征在外的丈夫，并为之挑灯缝制寒衣的形象。语句纯朴自然，似出自肺腑。

塞下曲

sài xià qǔ

王涯

wáng yá

年少辞家从冠军，
nián shào cí jiā cóng guàn jūn

金妆宝剑去邀勋。
jīn zhuāng bǎo jiàn qù yāo xūn

不知马骨伤寒水，
bù zhī mǎ gǔ shāng hán shuǐ

唯见龙城起暮云。
wéi jiàn lóng chéng qǐ mù yún

【注释】 ①冠军：古代将军的名号。 ②金妆宝剑：用黄金装饰剑柄或剑鞘的宝剑。 ③龙城：泛指边境地区。

【解说】 年轻的时候就离家跟随大将军出征，身佩金饰的宝剑去建功立业。不顾天寒地冻水寒伤马骨，只见边地战争阴云四起，努力去杀敌。诗赞美少年在边境不安宁的时候，不怕天寒地冻，毅然从军为国立功的精神。

179

zhú zhī cí
竹 枝 词

liú yǔ xī
刘 禹 锡

yáng liǔ qīng qīng jiāng shuǐ píng
杨 柳 青 青 江 水 平，

wén láng jiāng shàng chàng gē shēng
闻 郎 江 上 唱 歌 声。

dōng biān rì chū xī biān yǔ
东 边 日 出 西 边 雨，

dào shì wú qíng què yǒu qíng
道 是 无 晴 却 有 晴。

【注释】　①竹枝词：古代民歌中的一种。　②晴：与"情"字谐音，双关语。

【解说】　这是一首用民歌体写的恋歌。江边的杨柳，垂拂青条，江中的水面，平静如镜，姑娘忽然听到江上传来的歌声，这歌声是那么的熟悉，为什么他不直接对我表白呢？这个人啊，就像晴雨不定的天气，说是东边出太阳了西边还在下雨，说不是晴天吧，可还有晴天，真是无情又有情，让人捉摸不定。这首诗借眼前景，用谐音双关语含蓄地表现了少女微妙的感情。

秋风引 qiū fēng yǐn

刘禹锡 liú yǔ xī

何处秋风至，
hé chù qiū fēng zhì

萧萧送雁群。
xiāo xiāo sòng yàn qún

朝来入庭树，
zhāo lái rù tíng shù

孤客最先闻。
gū kè zuì xiān wén

【注释】　①引：古代歌曲的一种。　②至：来，到。　③萧萧：风吹落叶声。　④孤客：孤独的游客。闻：听。

【解说】　不知从什么地方吹来的秋风，在萧萧落叶声中送走了南飞的大雁。当清晨的秋风吹进庭院里的树木时，只身在外的游客最先听到了那萧条寂寞的风声。全诗由远及近，借景抒情，虽然没有出现"思乡"和"怨愁"等字，但仍能让读者感受到诗人强烈的思归之心。

堤上行
dī shàng xíng

刘禹锡
liú yǔ xī

酒旗相望大堤头，
jiǔ qí xiāng wàng dà dī tóu

堤下连樯堤上楼。
dī xià lián qiáng dī shàng lóu

日暮行人争渡急，
rì mù xíng rén zhēng dù jí

桨声幽轧满中流。
jiǎng shēng yōu yà mǎn zhōng liú

【注释】 ①连樯：船接连不断。樯，桅杆。 ②幽轧：形容摇桨的声音。中流：河中央。

【解说】 这是一首写景诗。酒店的旗帜一面挨一面飘扬在大堤上，堤下船只接连不断，堤上楼房挨着楼房。傍晚时分，行人争着渡江，划船的声音在江中响成一片。诗人笔下的江南水乡一片繁华的景象，诗中静中有动，动中有静，有声有色，宛如一幅清丽生动的水乡图。

qiū cí
秋 词

liú yǔ xī
刘禹锡

zì gǔ féng qiū bēi jì liáo
自 古 逢 秋 悲 寂 寥,

wǒ yán qiū rì shèng chūn zhāo
我 言 秋 日 胜 春 朝。

qíng kōng yī hè pái yún shàng
晴 空 一 鹤 排 云 上,

biàn yǐn shī qíng dào bì xiāo
便 引 诗 情 到 碧 霄。

【注释】 ①寂寥:寂寞空虚而感到悲伤。 ②春朝:即春天。 ③排:推开。 ④碧霄:碧蓝的天空。

【解说】 本诗以优美的笔调,赞美了秋天的景色,尤其是那只直冲云天的仙鹤,开阔了读者的视野,振奋人心。自古以来遇到秋天,人们总觉得寂寞空虚而感到悲伤,但是,我说秋天要比春天更美。晴朗的天空上有一只仙鹤推开云朵展翅飞翔,把我的诗情也带到了碧蓝的天空。

làng táo shā

浪 淘 沙

liú yǔ xī
刘 禹 锡

rì zhào chéng zhōu jiāng wù kāi
日 照 澄 洲 江 雾 开,

táo jīn nǚ bàn mǎn jiāng wēi
淘 金 女 伴 满 江 隈。

měi rén shǒu shì hóu wáng yìn
美 人 首 饰 侯 王 印,

jì shì shā zhōng làng dǐ lái
尽 是 沙 中 浪 底 来。

【注释】　①浪淘沙：唐代教坊曲名。　②澄洲：江水中清澈的沙洲。　③江隈：江边弯曲的地方。

【解说】　太阳拨开了笼罩在江面上的晨雾，照着清澈的江中小洲，成群结伴的淘金姑娘正在江湾辛勤地淘沙取金。美人头上的首饰和帝王权贵的金印，都是淘金女经过千辛万苦从沙中浪底淘洗出来的。这首诗具有轻松明快的民歌风格，运用对比手法，使诗意深化。

元和十年自朗州召至京，戏赠看花诸君子

刘禹锡

紫陌红尘拂面来，
无人不道看花回。
玄都观里桃千树，
尽是刘郎去后栽。

【注释】　①刘禹锡参加政治革新失败被贬出京城，元和十年才被召回。元和：唐宪宗的年号。朗州：今湖南常德。　②紫陌：指京都长安的道路。红尘：人马来往扬起的飞尘。拂面：扑面。　③玄都观：长安城内的一座道观。　④刘郎：指诗人自己。

【解说】　长安城大街上扬起的尘土迎面扑来，人人都说刚看完了桃花回来。玄都观里众多的如此吸引人的桃树，都是我离开长安后才种上的。诗人把千树桃花比作被重用的新贵，把看花人比作趋炎附势、奔走权门的人们。此诗表面上是描写人们去玄都观看桃花的盛况，实质上却是在讽刺当权者。

185

再游玄都观
zài yóu xuán dū guàn

刘禹锡
liú yǔ xī

百亩庭中半是苔，
bǎi mǔ tíng zhōng bàn shì tái

桃花净尽菜花开。
táo huā jìng jìn cài huā kāi

种桃道士归何处？
zhòng táo dào shì guī hé chù

前度刘郎今又来。
qián dù liú láng jīn yòu lái

【注释】　①庭中：指玄都观内的庭院。苔：苔藓。　②道士：借指打击政治革新的当权者。

【解说】　百亩大的庭院里一半长起了青苔，过去的桃花都不见了，只有菜花盛开。种桃树的道士到哪里去了？上次被贬外出的刘郎，今天又回来了。诗人因写看花诗刺痛了新贵们而再度被贬，一直过了十四年再回长安。这时那些权贵都已失势。此诗显示了诗人不屈的意志和乐观的情绪。

186

乌衣巷
wū yī xiàng

刘禹锡
liú yǔ xī

朱雀桥边野草花，
zhū què qiáo biān yě cǎo huā

乌衣巷口夕阳斜。
wū yī xiàng kǒu xī yáng xié

旧时王谢堂前燕，
jiù shí wáng xiè táng qián yàn

飞入寻常百姓家。
fēi rù xún cháng bǎi xìng jiā

【注释】 ①乌衣巷：在今南京市秦淮河南岸。 ②朱雀桥：秦淮河上的桥名。 ③王谢：指东晋大臣王导和谢安。 ④寻常：平常。

【解说】 这是一首苍凉深沉的怀古诗，诗人通过描写乌衣巷的今昔变化，巧妙地写出了历史的变迁和豪门贵族的兴衰。朱雀桥边的野草已经开花，乌衣巷口的夕阳正在西下。当年王导、谢安府宅的燕子，如今已飞入到普通的百姓家去了。昔日的繁荣和豪华已不复存在。

wàng dòng tíng
望 洞 庭

liú yǔ xī
刘禹锡

hú guāng qiū yuè liǎng xiāng hé
湖 光 秋 月 两 相 和，

tán miàn wú fēng jìng wèi mó
潭 面 无 风 镜 未 磨。

yáo wàng dòng tíng shān shuǐ cuì
遥 望 洞 庭 山 水 翠，

bái yín pán lǐ yī qīng luó
白 银 盘 里 一 青 螺。

【注释】 ①和：和谐，协调。 ②潭面：水面。镜未磨：形容湖面像一面没有磨过的镜子。古代镜子是用铜制的。 ③遥望：远远地望去。翠：绿色。

【解说】 秋夜，月光下的洞庭湖水清澈空明，与明朗的月色交相辉映。湖面风平浪静，波光闪动，像一面没有磨过的镜子。远远望去，湖中翠绿的洞庭山，多像白色银盘中一只小巧玲珑的青螺呀。诗人运用一连串比喻和奇特的夸张手法，由衷地赞美了洞庭的奇丽景色，把人与自然的关系表现得亲切、自然。

夏夜宿表兄宅话旧
窦叔向

夜合花开香满庭，
夜深微雨醉初醒。
远书珍重何曾达，
旧事凄凉不可听。
去日儿童皆长大，
昔年亲友半凋零。
明朝又是孤舟别，
愁见河桥酒幔青。

【注释】 ①夜合花：夏季朝开暮合的落叶乔木，花入夜香气更浓。 ②酒幔：酒旗。

【解说】 夏夜，合欢花开香满庭院，深夜下起茫茫细雨，他俩才从酒醉中醒来。在纷乱的年代，寄往远方的家信往往寄不到，凄凉的旧事不要重提了。当年别离时尚年幼的孩子都长大成人，从前的亲戚朋友也大半过世了。明天又将孤零零地乘船离别，见到河边桥头下酒店的青色的酒旗，使人更添愁思。末两句写惜别之情，却又话旧，有人生坎坷的感慨，言虽尽而意无穷。

chí shàng
池 上

bái jū yì
白居易

xiǎo wá chēng xiǎo tǐng
小 娃 撑 小 艇，
tōu cǎi bái lián huí
偷 采 白 莲 回。
bù jiě cáng zōng jì
不 解 藏 踪 迹，
fú píng yī dào kāi
浮 萍 一 道 开。

【注释】 ①艇：轻便的船。 ②解：懂得。
【解说】 一群娃娃撑了小船去偷采白莲花玩，他们不晓得掩藏踪迹，浮萍被小船荡开，留下一条长长的水路。孩子们天真的形象如在眼前。

赋得古原草送别
fù dé gǔ yuán cǎo sòng bié

bái jū yì
白居易

离离原上草，
lí lí yuán shàng cǎo

一岁一枯荣。
yī suì yī kū róng

野火烧不尽，
yě huǒ shāo bù jìn

春风吹又生。
chūn fēng chuī yòu shēng

远芳侵古道，
yuǎn fāng qīn gǔ dào

晴翠接荒城。
qíng cuì jiē huāng chéng

又送王孙去，
yòu sòng wáng sūn qù

萋萋满别情。
qī qī mǎn bié qíng

【注释】 ①离离：繁茂的样子。 ②王孙：泛指行人。 ③萋萋：草盛的样子。

【解说】 这是一首借咏野草来抒发离别感情的诗，据说是白居易十六岁写的有名的诗。草原上茂盛的野草，一年一度由枯萎而繁茂。野火无法烧尽，春风吹来，又会生长起来。远处的芳草蔓延到古道，阳光下的翠绿连接着荒凉的古城。目送远行的人离去，茂密的野草饱含着惜别的深情。全诗构思巧妙，表达了万物生生不息的理趣，耐人寻味，千载传诵不衰。

hán dān dōng zhì yè sī jiā
邯郸冬至夜思家
bái jū yì
白居易

hán dān yì lǐ féng dōng zhì
邯郸驿里逢冬至，

bào xī dēng qián yǐng bàn shēn
抱膝灯前影伴身。

xiǎng dé jiā zhōng yè shēn zuò
想得家中夜深坐，

hái yīng shuō zhuó yuǎn xíng rén
还应说着远行人。

【注释】 ①邯郸：今河北省邯郸市。 ②驿：驿站，客店，古代的传递公文人或出差官员途中歇息的地方。

【解说】 我旅居在邯郸客店的时候，恰逢农历冬至。晚上，抱着膝坐在灯前，只有影子与我相伴。想到家里的人或许也像这样深夜坐着，在谈论着我这个"远行人"。唐朝时的冬至是一个与春节差不多热闹的节日，诗人此时客居在外，思家心切，诗中却以想象家人如何想念自己来曲折表达，感情真挚动人。

xī mǔ dān huā

惜牡丹花

bái jū yì
白居易

chóu chàng jiē qián hóng mǔ dān
惆怅阶前红牡丹，
wǎn lái wéi yǒu liǎng zhī cán
晚来唯有两枝残。
míng zhāo fēng qǐ yīng chuī jìn
明朝风起应吹尽，
yè xī shuāi hóng bǎ huǒ kàn
夜惜衰红把火看。

【注释】 ①惜：怜爱。 ②把火：手持蜡烛。

【解说】 我感到忧愁的是台阶前的红牡丹，晚上只有两枝残花了。可明晨的风一吹，也许这两枝残花也会被吹落。因为怜爱这牡丹，我夜里手持蜡烛前来观赏。此诗虽写牡丹花将衰，但也寄寓着岁月流逝，青春不能常驻的感慨。

大 林 寺 桃 花
dà lín sì táo huā

白 居 易
bái jū yì

人 间 四 月 芳 菲 尽，
rén jiān sì yuè fāng fēi jìn

山 寺 桃 花 始 盛 开。
shān sì táo huā shǐ shèng kāi

长 恨 春 归 无 觅 处，
cháng hèn chūn guī wú mì chù

不 知 转 入 此 中 来。
bù zhī zhuǎn rù cǐ zhōng lái

【注释】　①芳菲：这里泛指花。尽：指花凋谢了。　②长恨：常常怨恨。　③转：反。

【解说】　人间的四月，所有的花儿都已凋谢，但高山上的大林寺里，桃花才刚刚盛开。人们常常怨恨春天一去难以寻找，却没想到，它反而到这里来了。诗人用桃花来替代春天，把春天说得仿佛看得见、摸得着似的。构思十分巧妙，语言灵活风趣，表现了诗人对春天的留恋。

mù jiāng yín
暮 江 吟

bái jū yì
白居易

yī dào cán yáng pū shuǐ zhōng
一 道 残 阳 铺 水 中,

bàn jiāng sè sè bàn jiāng hóng
半 江 瑟 瑟 半 江 红。

kě lián jiǔ yuè chū sān yè
可 怜 九 月 初 三 夜,

lù sì zhēn zhū yuè sì gōng
露 似 真 珠 月 似 弓。

【注释】　①暮江吟：用诗歌吟唱傍晚江上的景色。　②瑟瑟：碧绿色宝石。这里形容背阴处的江水颜色。　③可怜：可爱。　④真珠：珍珠。

【解说】　这是一首写傍晚江上景色的优美小诗。秋天美丽的夕阳照射在江面上，江水变得一半碧绿一半艳红。我爱九月初三的夜晚，你看，小草挂满了珍珠一般的露水，一弯新月像弯弓一样，悬挂在蓝色的天幕上。诗人用生动的比喻把景色写得细致动人，表现了诗人轻松愉快的心情。

195

钱塘湖春行
qián táng hú chūn xíng

白居易
bái jū yì

孤山寺北贾亭西，
gū shān sì běi jiǎ tíng xī

水面初平云脚低。
shuǐ miàn chū píng yún jiǎo dī

几处早莺争暖树，
jǐ chù zǎo yīng zhēng nuǎn shù

谁家新燕啄春泥。
shuí jiā xīn yàn zhuó chūn ní

乱花渐欲迷人眼，
luàn huā jiàn yù mí rén yǎn

浅草才能没马蹄。
qiǎn cǎo cái néng mò mǎ tí

最爱湖东行不足，
zuì ài hú dōng xíng bù zú

绿杨阴里白沙堤。
lù yáng yīn lǐ bái shā dī

【注释】 ①贾亭：贾公亭，已毁。 ②行不足：逛不够。 ③白沙堤：今杭州西湖白堤。

【解说】 孤山寺北，贾公亭西，西湖的水面刚刚涨起来，朵朵白云好像和湖面连成了一片。几只早早飞出来的黄莺争着飞向朝阳的树枝，刚从南方回来的燕子忙着啄衔软泥，它们要在哪家的屋檐下做窝？缤纷的花朵就要渐次开放，将会迷人眼目；嫩绿的春草还只能盖住马蹄。我最喜欢湖东一带的风景，特别是那柳树成荫的白沙堤，走了一遍又一遍还是逛不够。全诗紧扣环境和季节的特征，把春到西湖的景象写得生意盎然。

196

白云泉

bái yún quán

白居易 bái jū yì

天平山上白云泉，
tiān píng shān shàng bái yún quán

云自无心水自闲。
yún zì wú xīn shuǐ zì xián

何必奔冲山下去，
hé bì bēn chōng shān xià qù

更添波浪向人间！
gèng tiān bō làng xiàng rén jiān

【注释】　①天平山：在今苏州市西二十里。

【解说】　天平山上有白云泉，白云悠悠，随风飘荡，泉水潺潺，自由奔泻。泉水何必急急忙忙地奔泻下山，更加给纷扰多事的人世间增添波澜呢？诗人不注重写天平山的风景，而是刻意写白云、泉水的悠闲自得，并赋予人格，用以寄托自己的一种意愿。

遗爱寺 yí ài sì

白居易 bái jū yì

弄 石 临 溪 坐，
nòng shí lín xī zuò

寻 花 绕 寺 行。
xún huā rào sì xíng

时 时 闻 鸟 语，
shí shí wén niǎo yǔ

处 处 是 泉 声。
chù chù shì quán shēng

【注释】 ①遗爱寺：在今庐山香炉峰下。 ②弄：拿在手里玩。临：面对。

【解说】 我拿着石子面对着小溪坐着，为了赏花，我绕着寺庙周围的小路行走。不时听到小鸟的啼叫声，又到处听到泉水的叮咚声。这是一首写景写情的短诗。诗以"石""溪""花""鸟语""泉声"的点染，勾勒出遗爱寺令人神往的风景；通过"弄""寻""坐""行"等动作描写，表达了诗人对大自然的热爱。

陈　情　上　韦　令　公
chén qíng shàng wéi lìng gōng

薛　涛
xuē tāo

闻　说　边　城　苦，
wén shuō biān chéng kǔ

今　来　到　始　知。
jīn lái dào shǐ zhī

羞　将　筵　上　曲，
xiū jiāng yán shàng qǔ

唱　与　陇　头　儿。
chàng yǔ lǒng tóu ér

【注释】　①陇头儿：指边疆战士。

【解说】　曾经听说过边疆的生活很苦，如今到了边疆才亲身体会到。我难以启口将过去在贵族宴席上唱的歌曲，唱给驻守在边疆的军士们听。诗以作者亲身感受来描述守边将士之苦，读来亲切可信。

mǐn nóng
悯 农

lǐ shēn
李绅

chú hé rì dāng wǔ
锄 禾 日 当 午，

hàn dī hé xià tǔ
汗 滴 禾 下 土。

shuí zhī pán zhōng cān
谁 知 盘 中 餐，

lì lì jiē xīn kǔ
粒 粒 皆 辛 苦。

【注释】 ①锄禾：为庄稼锄草松土。 ②餐：饭食。

【解说】 在烈日炎炎的中午，农民们还在地里为禾苗锄草，汗水滴到禾苗下的泥土中。可有谁知道人们碗里的饭，每一粒都饱含着农民的辛勤劳动呢。这首诗一方面说明了农民的辛苦和粮食得来不容易，另一方面又委婉地告诫人们要珍惜粮食。

mǐn nóng
悯农

lǐ shēn
李绅

chūn zhòng yī lì sù
春 种 一 粒 粟,
qiū shōu wàn kē zǐ
秋 收 万 颗 子。
sì hǎi wú xián tián
四 海 无 闲 田,
nóng fū yóu è sǐ
农 夫 犹 饿 死。

【注释】 ①悯农:怜悯农民。 ②粟:小米。这里泛指五谷的种子。 ③闲田:尚未开垦的土地。
④犹:还。

【解说】 春天种下一粒种子,秋天可以收获许多的粮食。天下已经没有一块田不种粮食,可依然有农
民饿死。诗人用对比的手法,表现了对剥削阶级的强烈愤慨和对劳动人民的深切同情。

柳州二月榕叶落尽偶题
liǔ zhōu èr yuè róng yè luò jìn ǒu tí

柳宗元
liǔ zōng yuán

宦情羁思共凄凄，
huàn qíng jī sī gòng qī qī

春半如秋意转迷。
chūn bàn rú qiū yì zhuǎn mí

山城过雨百花尽，
shān chéng guò yǔ bǎi huā jìn

榕叶满庭莺乱啼。
róng yè mǎn tíng yīng luàn tí

【注释】　①柳州:在广西省。　②宦情:作官的心情。羁思:寄居他乡的忧虑　③春半:春季二月。
④ 山城:指柳州。

【解说】　官场上的失意和寄居他乡的忧思交织在一起,令人伤感凄凉,春天才过了一半却好像已是凉
秋似的心绪迷乱。山城的雨后百花凋零,榕树叶落满庭院,黄莺的啼叫十分嘈杂。诗人在诗中借春景遭
雨的描写抒发了贬谪柳州的惆怅和不满的情绪。

202

与浩初上人同看山
yǔ hào chū shàng rén tóng kàn shān

寄京华亲故
jì jīng huá qīn gù

柳 宗 元
liǔ zōng yuán

海 畔 尖 山 似 剑 铓，
hǎi pàn jiān shān sì jiàn máng

秋 来 处 处 割 愁 肠。
qiū lái chù chù gē chóu cháng

若 为 化 得 身 千 亿，
ruò wéi huà dé shēn qiān yì

散 向 峰 头 望 故 乡。
sàn xiàng fēng tóu wàng gù xiāng

【注释】　①浩初上人：即浩初和尚，是诗人的好友。京华亲故：京城长安的亲人和朋友。　②若为：如何。

【解说】　被贬在远地的诗人借写看山，抒发对京城亲友的思念之情。南疆滨海的座座山尖如出鞘的利剑，尤其是在这万木萧疏的秋天，见到刀剑般的山峰，就像在刺割我的寸寸愁肠。怎样才能让我化一身为千亿个，散向峰顶可以遥望这千里之外的故乡呢！诗以形象的比喻和奇特的想象表达了诗人的思乡之情。

jiāng xuě
江雪

liǔ zōng yuán
柳宗元

qiān shān niǎo fēi jué
千山鸟飞绝，

wàn jìng rén zōng miè
万径人踪灭。

gū zhōu suō lì wēng
孤舟蓑笠翁，

dú diào hán jiāng xuě
独钓寒江雪。

【注释】　①径：路。踪：脚印。　②蓑笠翁：披蓑衣戴斗笠的渔翁。

【解说】　连绵的群山白雪皑皑，看不见一只飞鸟。大地白茫茫一片，也找不到一个人的脚印。唯有一只孤独的小船上，一个披着蓑衣、戴着斗笠的老渔翁，独自一个在大雪纷飞的江上钓鱼。诗人借咏隐居在山水之间的渔翁，来寄托自己的清高而孤傲的情感，抒发自己在政治上失意的郁闷苦恼。

ǒu shū
偶 书

liú chā
刘 叉

rì chū fú sāng yī zhàng gāo
日 出 扶 桑 一 丈 高，
rén jiān wàn shì xì rú máo
人 间 万 事 细 如 毛。
yě fū nù jiàn bù píng shì
野 夫 怒 见 不 平 事，
mó sǔn xiōng zhōng wàn gǔ dāo
磨 损 胸 中 万 古 刀。

【注释】　①扶桑：古代神话中海外的大桑树，据说太阳从这里出来。　②野夫：粗鲁的人，侠客自称。
③万古刀：比喻古来行侠的人路见不平拔刀相助的精神。

【解说】　诗表达了诗人对人间不平事的愤懑之情。太阳出来，新的一天一开始，人世间的事情就多如
毛发。我见到不平之事，想为之报仇又不能，正义感只能在胸中消损！诗中所表现的强烈是非感和对弱
者的同情心，值得人们借鉴。

井栏砂宿遇夜客

jǐng lán shā sù yù yè kè

lǐ shè
李涉

mù yǔ xiāo xiāo jiāng shàng cūn
暮 雨 潇 潇 江 上 村,
lù lín háo kè yè zhī wén
绿 林 豪 客 夜 知 闻。
tā shí bù yòng táo míng xìng
他 时 不 用 逃 名 姓,
shì shàng rú jīn bàn shì jūn
世 上 如 今 半 是 君。

【注释】 ①井栏砂：地名，在今安徽省安庆市附近，长江边上一小村。 ②暮：傍晚。潇潇：雨声。
③ 绿林豪客：指因生活所迫，聚集山林劫富济贫者。
【解说】 傍晚，在潇潇雨声中去井栏砂小村投宿，夜里遇到了久闻我诗名的绿林好汉。今后我不用隐
名埋姓了，因为如今世上有那么多的绿林好汉。诗在幽默诙谐中包含着颇为严肃的社会内容和对现实
的感慨。

牧童词 mù tóng cí

李涉 lǐ shè

朝牧牛，牧牛下江曲，
zhāo mù niú mù niú xià jiāng qū

夜牧牛，牧牛度村谷。
yè mù niú mù niú dù cūn gǔ

荷蓑出林春雨细，
hè suō chū lín chūn yǔ xì

芦管卧吹莎草绿。
lú guǎn wò chuī suō cǎo lù

乱插蓬蒿箭满腰，
luàn chā péng hāo jiàn mǎn yāo

不怕猛虎欺黄犊。
bù pà měng hǔ qī huáng dú

【注释】　①江曲：江湾。　②度：过。谷：山谷。　③荷：披。　④芦管：用芦苇制成吹哨之类。　⑤蓬蒿：植物名，茎高两三尺。这里指用蓬蒿梗当箭杆。　⑥黄犊：小黄牛。

【解说】　这首诗描写牧童的放牧生活。牧童放牛，朝朝暮暮，有时在江湾，有时去村边的山谷；有时披着蓑衣，冒着春雨出没在林间，有时卧躺在沙滩的绿草上吹着自制的芦管。你看他多神气——腰间插满蓬蒿杆子当箭杆，凭着这"全副武装"就不怕猛虎来欺食小黄牛了。牧童纯朴、天真、勇敢，形象可爱。

菊花

元稹

秋丛绕舍似陶家，
遍绕篱边日渐斜。
不是花中偏爱菊，
此花开尽更无花。

【注释】　①秋丛：丛生的秋菊。陶：指晋人陶渊明。　　②更：再。

【解说】　一丛丛的菊花围绕在房舍四周就像是陶渊明的家，我遍绕篱笆品赏着菊花不觉日已西下。不是我在花里偏爱菊花，而是因为菊花开过后就再无花可赏了。这是一首咏物诗，诗人在诗中抒发了喜爱之情，并赞美菊花凌霜后凋的坚贞品格。构思巧妙，别有新意。

离思 lí sī

元稹 yuán zhěn

曾经沧海难为水，
céng jīng cāng hǎi nán wéi shuǐ

除却巫山不是云。
chú què wū shān bù shì yún

取次花丛懒回顾，
qǔ cì huā cóng lǎn huí gù

半缘修道半缘君。
bàn yuán xiū dào bàn yuán jūn

【注释】 ①离思：这是诗人悼念亡妻韦丛的作品。 ②取次：挨着次序。 ③半缘：一半是因为。修道：信佛尊道。

【解说】 曾经见过浩瀚海洋的人，再见到别处的水，便觉得是那样的相形见绌，黯然失色。除了巫山绚丽缤纷的彩云，其他的云真不该叫云。挨着次序经过花丛，我已懒得看上一眼，一半是因为修道，一半是因为思念您。诗人以比拟的手法，抒发了怀念爱妻的深沉情感。

jiàn kè
剑 客

jiǎ dǎo
贾 岛

shí nián mó yī jiàn
十 年 磨 一 剑,
shuāng rèn wèi céng shì
霜 刃 未 曾 试。
jīn rì bǎ shì jūn
今 日 把 示 君,
shuí yǒu bù píng shì
谁 有 不 平 事?

【注释】 ①剑客:行侠仗义的人。 ②霜刃:形容剑锋寒光闪闪十分锋利。 ③把示君:拿给您看。

【解说】 我用十年时间磨出一把宝剑,剑刃闪亮却还没有试过锋芒。今天拿出来给您看,告诉我谁有不平的事情需要伸张。全诗形象鲜明。诗表面上赞扬了剑客敢于打抱不平的侠义精神,其实,诗人以"剑客"自喻,以"剑"比喻自己的才能,抒写自己兴利除弊的政治抱负。

tí lǐ níng yōu jū
题 李 凝 幽 居

jiǎ dǎo
贾 岛

xián jū shǎo lín bìng
闲 居 少 邻 并，

cǎo jìng rù huāng yuán
草 径 入 荒 园。

niǎo sù chí biān shù
鸟 宿 池 边 树，

sēng qiāo yuè xià mén
僧 敲 月 下 门。

guò qiáo fēn yě sè
过 桥 分 野 色，

yí shí dòng yún gēn
移 石 动 云 根。

zàn qù hái lái cǐ
暂 去 还 来 此，

yōu qī bù fù yán
幽 期 不 负 言。

【注释】 ①邻并：邻居。 ②云根：古人认为云生在山面石上，石为"云根"。

【解说】 一条杂草遮掩的小路通向荒芜不治的小园，附近也无邻居。一切是那么寂静，鸟儿宿在池边的树上，月夜归寺的僧人在敲寺门。过了桥是色彩斑斓的原野景色，晚风吹动，云脚飘移，好像山石在移动。我暂时离去，但不久还要来，决不负共同归隐的约期。全诗都围着幽静来写，写得出神入化。

送唐环归敷水庄
sòng táng huán guī fū shuǐ zhuāng

贾岛
jiǎ dǎo

毛女峰当户，
máo nǚ fēng dāng hù

日高头未梳。
rì gāo tóu wèi shū

地侵山影扫，
dì qīn shān yǐng sǎo

叶带露痕书。
yè dài lù hén shū

松径僧寻药，
sōng jìng sēng xún yào

沙泉鹤见鱼。
shā quán hè jiàn yú

一川风景好，
yī chuān fēng jǐng hǎo

恨不有吾庐。
hèn bù yǒu wú lú

【注释】 ①毛女峰：在陕西省华阴县华山上。

【解说】 庄前可望见毛女峰，太阳高高升起，可她还未梳理头发。大地刚被山影掠过，树叶上还留着露水的痕迹。寻找草药的老僧正走在松林的小路上，仙鹤却站在沙泉清水旁窥伺游鱼。敷水两岸的风景多么优美，遗憾的是这里没有我的住居。整首诗着笔展现敷水山庄一带的优美风景。

xún yǐn zhě bù yù
寻隐者不遇

jiǎ dǎo
贾岛

sōng xià wèn tóng zǐ
松 下 问 童 子，

yán shī cǎi yào qù
言 师 采 药 去。

zhǐ zài cǐ shān zhōng
只 在 此 山 中，

yún shēn bù zhī chù
云 深 不 知 处。

【注释】　①言：说。

【解说】　我在松树下询问小童，回答说师父上山采药去了。只知道他就在这座山中，可是云深雾迷不知他在什么地方。诗人通过二十个字既写出未遇的原因，又将隐居的好友过着悠闲自乐的生活情景展现出来。诗用一问一答的形式，用语自然，平淡中见深意。

tí shī hòu
题 诗 后

jiǎ dǎo
贾 岛

èr jù sān nián dé
二 句 三 年 得，
yī yín shuāng lèi liú
一 吟 双 泪 流。
zhī yīn rú bù shǎng
知 音 如 不 赏，
guī wò gù shān qiū
归 卧 故 山 秋。

【注释】 ①题诗后：这首诗是诗人写在另一首诗后面的。 ②吟：读，诵。 ③知音：很了解自己思想感情的好朋友。赏：称赞，欣赏。

【解说】 两句诗我想了三年才写好，读出来以后，我的眼泪忍不住流了下来。如果好朋友不喜欢这些诗，我就只好回到从前住过的山里去睡大觉，再也不作诗了。贾岛写诗非常认真，每一个字都要再三推敲。人们把像贾岛这样的诗人称为"苦吟派"。苦吟，就是辛辛苦苦作诗的意思。

题金陵渡
tí jīn líng dù

张祜
zhāng hù

金陵津渡小山楼，
jīn líng jīn dù xiǎo shān lóu

一宿行人自可愁。
yī sù xíng rén zì kě chóu

潮落夜江斜月里，
cháo luò yè jiāng xié yuè lǐ

两三星火是瓜洲？
liǎng sān xīng huǒ shì guā zhōu

【注释】　①金陵渡：在今江苏省镇江市。　②津：渡口。　③可：应当。　④行人：这里指作者自己。
⑤瓜洲：在今江苏扬州，与镇江隔长江相对。

【解说】　这是一首写景诗。金陵渡口有座小小的山楼，我在这里借宿一晚自然为漂泊的生活而满怀忧
愁。江潮退落于夜间西沉的月色里，远处几点星火闪烁的地方可是瓜洲？长江宁静的夜景勾起诗人的
诗兴，同时也流露出在外旅游的诗人孤独寂寞的内心世界。诗意清幽，构思巧妙，耐人回味。

农父
nóng fù

张碧
zhāng bì

运锄耕斸侵晨起，
yùn chú gēng zhú qīn chén qǐ

垅亩丰盈满家喜。
lǒng mǔ fēng yíng mǎn jiā xǐ

到头禾黍属他人，
dào tóu hé shǔ shǔ tā rén

不知何处抛妻子。
bù zhī hé chù pāo qī zǐ

【注释】　①斸：大锄。这里是挖掘的意思。侵晨：天蒙蒙亮。　②垅亩：田地。丰盈：指庄稼长得茂盛。
③何处：何时。　　④抛妻子：抛弃妻子儿女。

【解说】　起早摸黑在田里挥动锄头耕田松地，全家为田里长得茂盛的庄稼而喜悦。可是到头来丰收的
果实都要归别人，不知什么时候要抛妻别子去寻条活路呢!这首诗深切地表达诗人对劳动人民的同情
之心。

216

瀑布 pù bù

施肩吾 shī jiān wú

豁开青冥颠，
huō kāi qīng míng diān

泻出万丈泉。
xiè chū wàn zhàng quán

如裁一条素，
rú cái yī tiáo sù

白日悬秋天。
bái rì xuán qiū tiān

【注释】 ①豁开：划开。青冥：青天。颠：顶部。

【解说】 这是一首描写瀑布的诗。诗人运用比喻夸张的手法，把瀑布一泻万丈的气势描绘得入情入画。好像是青天的顶部被撕开了似的，泻出了万丈泉水。这泉水似一条裁剪过的白绢，和太阳一起高高悬挂在秋天的天空中。

诮山中叟
qiào shān zhōng sǒu

shī jiān wú
施肩吾

lǎo rén jīn nián bā shí jǐ
老 人 今 年 八 十 几，

kǒu zhōng líng luò cán yá chǐ
口 中 零 落 残 牙 齿。

tiān yīn qōu lǘ dài ké xíng
天 阴 伛 偻 带 咳 行，

yóu xiàng yán qián zhòng sōng zǐ
犹 向 岩 前 种 松 子。

【注释】　①诮：讥讽，责备。叟：老头。　②伛偻：弯腰曲背。

【解说】　这首诗刻画了一个终生辛劳、一心为后人造福的山中老农的形象。老人八十几岁了，牙齿已残缺，天气不好还弯着腰弓着背，并且带着咳嗽去山中岩前种松子。对于这样的一位老人，诗人因为敬他而责备他这么大年纪就不该再上山了，所以诗题用"诮"字。

dēng xuán dū gé
登玄都阁

zhū qìng yú
朱庆馀

yě sè qíng yí shàng gé kàn
野色晴宜上阁看，
shù yīn yáo yìng yù gōu hán
树阴遥映御沟寒。
háo jiā jiù zhái wú rén zhù
豪家旧宅无人住，
kōng jiàn zhū mén suǒ mǔ dān
空见朱门锁牡丹。

【注释】 ①御沟：指皇城外的护城河。

【解说】 天色晴朗，很宜登上玄都阁去远眺，柳树浓荫远远地映在皇城外的护城河上。富贵人家的旧住宅无人居住，只看见红漆大门内锁着牡丹。诗人巧妙而含蓄地为居住在不蔽风雨的茅屋里的穷人鸣不平，对社会上这样不平等现象予以强烈的谴责。

贞元十四年旱甚，
zhēn yuán shí sì nián hàn shèn

见权门移芍药花
jiàn quán mén yí sháo yào huā

吕温
lǚ wēn

绿原青垅渐成尘，
lǜ yuán qīng lǒng jiàn chéng chén

汲井开园日日新。
jí jǐng kāi yuán rì rì xīn

四月带花移芍药，
sì yuè dài huā yí sháo yào

不知忧国是何人！
bù zhī yōu guó shì hé rén

【注释】 ①权门：有权有势的人家。 ②绿原：绿色的田野。青垅：青色的田埂。 ③汲井：凿井提水。开园：开辟花园。

【解说】 绿色的田野与青色的田埂都因干旱而变成尘土，但仍经常听到凿井取水新建花园的事。他们想到的是四月移植带花的芍药，不知有谁在忧国忧民！诗人将两幅反差巨大的画面巧妙地联系在一起，有力地揭露了豪门的腐朽及生活上的奢侈。

题西施石

tí xī shī shí

王轩

wáng xuān

岭上千峰秀，

lǐng shàng qiān fēng xiù

江边细草春。

jiāng biān xì cǎo chūn

今逢浣纱石，

jīn féng huàn shā shí

不见浣纱人。

bù jiàn huàn shā rén

【注释】 ①西施石：又称浣纱石，相传为春秋时期美女西施浣纱的石头。 ②浣：洗。

【解说】 山岭上，千座奇峰争秀，江水边，细嫩的小草在春天里苗壮成长。今天，我看见当年西施浣纱的那块石头，可惜的是，看不见浣纱的西施了。本诗前两句是写景，后两句是写情，诗人触景生情，读后令人回味而沉思。

221

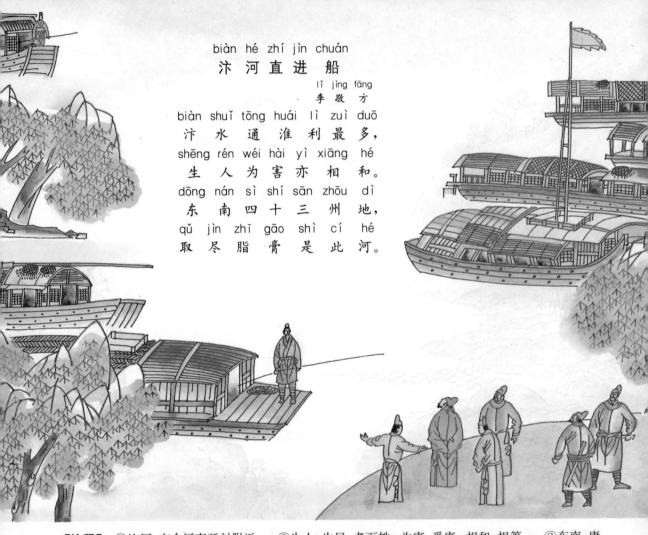

汴河直进船

李敬方

汴水通淮利最多，
生人为害亦相和。
东南四十三州地，
取尽脂膏是此河。

【注释】　①汴河：在今河南开封附近。　②生人：生民，老百姓。为害：受害。相和：相等。　③东南：唐时指苏、浙、皖、赣等省，并将这一带列为四十三州来管理。

【解说】　汴河连接江淮水利是很多的，既给百姓带来便利却也带来灾祸。整个东南的四十三州土地，就是靠这条河把那里的民脂民膏搜刮尽了。汴河对农业有利、水运有利，而水运的发达反而使这一带老百姓遭受更惨重的剥削。诗人通过"生人为害亦相和"揭露了当时的社会现状，给人以深刻的思想。

mǎ shī
马 诗

lǐ hè
李贺

dà mò shā rú xuě
大 漠 沙 如 雪，
yān shān yuè sì gōu
燕 山 月 似 钩。
hé dāng jīn luò nǎo
何 当 金 络 脑，
kuài zǒu tà qīng qiū
快 走 踏 清 秋！

【注释】　①燕山：今蒙古国境内的杭爱山。　②何当：何时才能够。金络脑：用黄金为饰的马笼头，意为贵重鞍具。

【解说】　塞外大沙漠里，黄沙在月光的映照下犹如皑皑的白雪，燕山山头弯弯的月亮像钩子一样挂在天空。什么时候才能戴着黄金笼头，在秋高气爽的疆场上驰骋，建树功勋呢？全诗通过咏马来表现诗人热望建功立业而又不被赏识所发出的感慨。

chāng gǔ běi yuán xīn sǔn
昌 谷 北 园 新 笋

lǐ hè
李 贺

tuò luò cháng gān xuē yù kāi
箨 落 长 竿 削 玉 开，
jūn kàn mǔ sǔn shì lóng cái
君 看 母 笋 是 龙 材。
gèng róng yī yè chōu qiān chǐ
更 容 一 夜 抽 千 尺，
bié què chí yuán shù cùn ní
别 却 池 园 数 寸 泥。

【注释】　①箨落：笋壳落掉。长竿：新竹。削玉开：形容新竹像碧玉削成似的。　②母笋：大笋。龙材：比喻不凡之材。　③更容：更应该。抽：指新竿的长势。　④别却：告别，离去。

【解说】　笋壳剥落后，新竹就很快地长成，像碧玉削成一样，你看那些大笋都是成龙之材。它们离开竹园的数寸泥土之后，一夜之间将会猛长一千尺！诗人用夸张的手法，写新竹迅猛成长，也反映了诗人奋发向上的精神面貌。

农家望晴
nóng jiā wàng qíng

雍裕之
yōng yù zhī

尝 闻 秦 地 西 风 雨，
cháng wén qín dì xī fēng yǔ

为 问 西 风 早 晚 回？
wèi wèn xī fēng zǎo wǎn huí

白 发 老 翁 如 鹤 立，
bái fà lǎo wēng rú hè lì

麦 场 高 处 望 云 开。
mài cháng gāo chù wàng yún kāi

【注释】 ①秦地：陕西关中一带。西风雨：当地刮西风就下雨。 ②早晚：什么时候的意思。

【解说】 听说关中一带西风一起就要下雨，请问西风什么时候才能回去呢？满头白发的老翁像鹤立的样子，站在麦场高处，盼望乌云散开见到太阳。老农望晴的急切心情，通过"为问"的内心独白及"鹤立"的形象描写，充分地展现出来。

咸阳城西楼晚眺

许浑

一上高城万里愁，
蒹葭杨柳似汀洲。
溪云初起日沉阁，
山雨欲来风满楼。
鸟下绿芜秦苑夕，
蝉鸣黄叶汉宫秋。
行人莫问当年事，
故国东来渭水流。

【注释】 ①眺：向远看望。 ②蒹葭：芦苇。汀洲：水中的沙洲。 ③芜：草地。 ④故国：指咸阳城。

【解说】 这是一首登楼吊古诗。登上高高的城楼，勾起我无穷的愁思，但见城下芦苇、杨柳丛生，像是我的故乡江南的沙洲。溪边开始升起乌云，夕阳沉没在楼阁后，山雨将要来临，狂风满城楼。当年秦汉的宫苑遗址上，绿芜遍地，黄叶满林，只有鸟飞蝉鸣，不识兴亡，外出的人别问这座城过去的事情了，现在一切都变了，只有这渭水仍永远向东流着。诗人通过写景来抒发心中的感叹，语言优美，充满着诗情画意，寓意也很深刻。

guò huá qīng gōng
过 华 清 宫

dù mù
杜 牧

cháng ān huí wàng xiù chéng duī
长 安 回 望 绣 成 堆，

shān dǐng qiān mén cì dì kāi
山 顶 千 门 次 第 开。

yī qí hóng chén fēi zǐ xiào
一 骑 红 尘 妃 子 笑，

wú rén zhī shì lì zhī lái
无 人 知 是 荔 枝 来。

【注释】 ①华清宫：唐玄宗和杨贵妃避暑之地，故址在今陕西省临潼县骊山华清池。 ②绣成堆：指林木花卉建筑物像一堆堆锦绣。 ③次第：按顺序。 ④一骑：一人一马称一骑。妃子：指杨玉环贵妃。

【解说】 从长安回望华清宫所在地骊山的景色有如团团锦绣，美不胜收，山顶上那座壮观的华清宫，大门忽然一扇接着一扇地打开。一匹马飞奔而来，后面扬起一片尘土，赢得杨贵妃嫣然一笑，没有人知道这是从很远的南方运来了新鲜的荔枝。杨贵妃喜欢吃新鲜荔枝，唐玄宗不惜代价命人从远道的广东等地乘驿马兼程运送。诗人选择这一典型事件，进行形象的刻画，加以有力的谴责。

zèng bié
赠别

dù mù
杜牧

duō qíng què sì zǒng wú qíng
多情却似总无情，

wéi jué zūn qián xiào bù chéng
惟觉樽前笑不成。

là zhú yǒu xīn hái xī bié
蜡烛有心还惜别，

tì rén chuí lèi dào tiān míng
替人垂泪到天明。

【注释】　①樽前：指别宴上。

【解说】　分别的时候，分明是多情的，总觉得难以表达自己内心的感情而感到好似无情。别宴上想要强颜欢笑，却笑不成。宴席上的蜡烛好像也理解我们的惜别之心，替我们垂泪点点滴滴一直到天明。诗人借物抒情，表达了与友人分别时那难分难舍的深沉而真挚的感情。

tí wū jiāng tíng
题 乌 江 亭

dù mù
杜 牧

shèng bài bīng jiā shì bù qī
胜 败 兵 家 事 不 期，
bāo xiū rěn chǐ shì nán ér
包 羞 忍 耻 是 男 儿。
jiāng dōng zǐ dì duō cái jùn
江 东 子 弟 多 才 俊，
juǎn tǔ chóng lái wèi kě zhī
卷 土 重 来 未 可 知。

【注释】 ①乌江亭：在今安徽省和县东北。楚汉战争时，项羽败逃到乌江自刎。 ②期：预料。 ③包羞忍耻：能忍受失败、受挫折等羞辱。 ④江东：指江南苏州一带，是项羽起兵的地方。

【解说】 这是一首咏怀古迹的诗。战争胜败的事是很难预料的，不怕挫折能经受失败打击的才是真正的男子汉。江东这个地方的人才很多，若能吸取教训，重返江东重整旗鼓，"卷土重来"也是说不定的。诗人批评项羽兵败后自以为愧对江东父老而羞愤自杀的错误做法，表明失败不能气馁的道理。

jiāng nán chūn
江 南 春

dù mù
杜 牧

qiān lǐ yīng tí lǜ yìng hóng
千 里 莺 啼 绿 映 红，
shuǐ cūn shān guō jiǔ qí fēng
水 村 山 郭 酒 旗 风。
nán cháo sì bǎi bā shí sì
南 朝 四 百 八 十 寺，
duō shǎo lóu tái yān yǔ zhōng
多 少 楼 台 烟 雨 中。

【注释】　①酒旗：酒店门前高挂的布招牌。　②南朝：历史上在南京建都的宋、齐、梁、陈，合称南朝。当时南朝统治者都好佛，修建了大量的寺院。

【解说】　辽阔的江南大地上，到处有欢唱的黄莺，遍地的红花映衬在绿叶中间，河边的村庄，山下的小城，到处都有酒店的旗子在风里飘着。南朝时候造起的许许多多寺院，如今还有数不清的楼台掩映在烟雾和细雨中。诗抓住江南山多水多寺院多以及江南春天花红树绿、风和雨细的特点，描绘出江南春色，既有明艳的美，又有朦胧的美，令人神往。诗人在赞赏中也隐含着对南朝统治集团的嘲讽。

齐安郡后池
qí ān jùn hòu chí

杜 牧
dù mù

菱 透 浮 萍 绿 锦 池，
líng tòu fú píng lù jǐng chí

夏 莺 千 啭 弄 蔷 薇。
xià yīng qiān zhuàn nòng qiáng wēi

尽 日 无 人 看 微 雨，
jìn rì wú rén kàn wēi yǔ

鸳 鸯 相 对 浴 红 衣。
yuān yāng xiāng duì yù hóng yī

【注释】 ①菱：菱角。 ②啭：鸟鸣声婉转动听。 ③尽日：整天。

【解说】 这是一首描写夏天水池边景色的诗。菱叶透过浮萍借绿色的锦缎覆盖着水面，夏日的黄莺在蔷薇丛中悠扬婉转地鸣叫着。整天没有人来欣赏这蒙蒙细雨，只有水池里的双双相对的鸳鸯在沐浴着美丽的羽毛。诗人通过绿池、黄莺、细雨、鸳鸯多种色彩的组合，有动的、静的，把初夏优美而恬静的自然环境呈现在读者的面前。

chì bì

赤壁

dù mù

杜 牧

zhé jǐ chén shā tiě wèi xiāo
折 戟 沉 沙 铁 未 销，

zì jiāng mó xǐ rèn qián cháo
自 将 磨 洗 认 前 朝。

dōng fēng bù yǔ zhōu láng biàn
东 风 不 与 周 郎 便，

tóng què chūn shēn suǒ èr qiáo
铜 雀 春 深 锁 二 乔。

【注释】 ①赤壁：地名，在今湖北省境内。 ②折戟：折断的戟。这里指残留的兵器。销：锈蚀。 ③自将：自己拿起。 ④周郎：指周瑜。 ⑤铜雀：即铜雀台。二乔：吴国乔公的两个女儿，大乔嫁孙策，小乔嫁周瑜。

【解说】 这是一首咏史怀古诗。折断的兵器沉没在沙中还没有烂掉，我拾起来洗干净，认出是前朝赤壁之战的遗物。假如当年不是东风帮助周瑜火烧曹军的话，恐怕春光明媚的曹操的铜雀台早就成为幽禁大乔、小乔的地方了。诗人通过形象化的描写，抒发自己的感慨。

泊秦淮
bó qín huái

杜牧
dù mù

烟笼寒水月笼沙，
yān lǒng hán shuǐ yuè lǒng shā

夜泊秦淮近酒家。
yè bó qín huái jìn jiǔ jiā

商女不知亡国恨，
shāng nǚ bù zhī wáng guó hèn

隔江犹唱后庭花。
gé jiāng yóu chàng hòu tíng huā

【注释】 ①商女：歌女。 ②江：指秦淮河。后庭花：据说是南朝荒淫误国的陈后主所制的乐曲。

【解说】 烟雾笼罩着寒水，月光洒在岸沙上。入夜时，船停泊在酒家附近的秦淮河边。歌女不知这是亡国的遗曲，隔江还能听见她们唱着《后庭花》。诗先从视觉上写秦淮河边酒家的环境，轻烟、寒水、清月、岸沙"笼"在一起，景色清幽朦胧，再从听觉上写商女的歌声引人想象酒家中的情景。诗人表面上是责怪"不知亡国恨"的"商女"，其实是婉曲地讽刺那些饮酒听歌作乐的官绅们，表达了诗人对国家前途的担忧。

山行

shān xíng

dù mù
杜 牧

yuǎn shàng hán shān shí jìng xié
远 上 寒 山 石 径 斜，

bái yún shēng chù yǒu rén jiā
白 云 生 处 有 人 家。

tíng chē zuò ài fēng lín wǎn
停 车 坐 爱 枫 林 晚，

shuāng yè hóng yú èr yuè huā
霜 叶 红 于 二 月 花。

【注释】 ①寒山：深秋的山。 ②坐：因为。晚：晚景。

【解说】 秋天，沿着弯弯曲曲的小路上山，山上白云飘浮的地方还住有人家。停下车来，是因为我喜爱这傍晚的枫林晚景，那被霜打过的枫叶比二月里的鲜花还要红。这是一首描写秋天景色的诗，诗人以乐观的情绪，表达了对秋光的喜爱之情。

秋夕 qiū xī

杜牧 dù mù

银烛秋光冷画屏，
yín zhú qiū guāng lěng huà píng

轻罗小扇扑流萤。
qīng luó xiǎo shàn pū liú yíng

天阶夜色凉如水，
tiān jiē yè sè liáng rú shuǐ

坐看牵牛织女星。
zuò kàn qiān niú zhī nǚ xīng

【注释】　①秋夕：指农历七月七日的晚上。　②银烛：白色的蜡烛。画屏：画着画的屏风。　③天阶：指皇宫的石台阶。

【解说】　秋夜里的白色蜡烛发出的光焰映照着冷冷的画屏，宫女们手持轻罗小扇扑打着飞来飞去的萤火虫。皇宫阶前的夜色像水一样的凉，宫女们坐在石阶上仰望天上的牛郎织女星。全诗通过对七夕之夜宫女"扑流萤"和"坐看"的描写，反映出宫女孤独无聊的宫廷生活以及她们对幸福生活的向往。

清明

qīng míng

dù mù
杜牧

qīng míng shí jié yǔ fēn fēn
清 明 时 节 雨 纷 纷，

lù shàng xíng rén yù duàn hún
路 上 行 人 欲 断 魂。

jiè wèn jiǔ jiā hé chù yǒu
借 问 酒 家 何 处 有，

mù tóng yáo zhǐ xìng huā cūn
牧 童 遥 指 杏 花 村。

【注释】 ①清明：清明节。 ②纷纷：形容多。 ③断魂：形容十分伤心悲哀。

【解说】 清明时节细雨绵绵，路上的行人心中烦闷，像是丢了魂似的。请问哪里有酒店？放牛的小孩手指着远处的杏花村。这首诗语言通俗易懂，意境含蓄优美，写雨中行人的忧愁，但不令人消沉，具有很好的艺术效果。

236

xián yáng zhí yǔ
咸阳值雨

wēn tíng yún
温庭筠

xián yáng qiáo shàng yǔ rú xuán
咸阳桥上雨如悬，
wàn diǎn kōng méng gé diào chuán
万点空蒙隔钓船。
hái sì dòng tíng chūn shuǐ sè
还似洞庭春水色，
wǎn yún jiāng rù yuè yáng tiān
晚云将入岳阳天。

【注释】　①值：恰逢，遇。　②空蒙：迷茫的样子。　③岳阳：岳阳城在湖南省洞庭湖东。

【解说】　这首诗的作者用"借景写景"的手法，通过联想和想象来调动读者的思情。咸阳桥上，细雨绵绵，像透明的窗帘悬挂在天空，透过迷茫的雨帘，可见江上渔翁垂钓。这就像是南方洞庭湖上的春光水色，连那雨后的云彩也会飘到岳阳城的天空。全诗写得清丽流畅，富于动感，读后给人以清新的感觉。

商山早行
shāng shān zǎo xíng

wēn tíng yún
温庭筠

晨起动征铎，
chén qǐ dòng zhēng duó

客行悲故乡。
kè xíng bēi gù xiāng

鸡声茅店月，
jī shēng máo diàn yuè

人迹板桥霜。
rén jì bǎn qiáo shuāng

槲叶落山路，
hú yè luò shān lù

枳花明驿墙。
zhǐ huā míng yì qiáng

因思杜陵梦，
yīn sī dù líng mèng

凫雁满回塘。
fú yàn mǎn huí táng

【注释】 ①铎：悬挂在车马上的铃铛。 ②槲：一种落叶乔木。 ③枳：一种灌木。 ④杜陵：汉宣帝的陵墓，这里借指长安。 ⑤凫：野鸭。回塘：沿岸曲折的池塘。

【解说】 清晨起床，旅店内外响起了车马的铃铛声，在外旅行总不免怀念故乡。鸡鸣声从远处月下的茅店传来，人们的足迹留在了积满了霜花的桥上。枯黄的槲叶飘落在山路上，雪白的枳花在驿站的墙角上显得格外耀眼。回想起昨晚回长安的梦，远道归来的野鸭和大雁拥挤在回塘之中。诗写"早行"之景，"早行"之情，真切地反映了旅人的感受。诗的第二联由十个名词组合的景象，最具特色，为人称颂。

陇西行
lǒng xī xíng

陈陶
chén táo

誓扫匈奴不顾身，
shì sǎo xiōng nú bù gù shēn

五千貂锦丧胡尘。
wǔ qiān diāo jǐn sàng hú chén

可怜无定河边骨，
kě lián wú dìng hé biān gǔ

犹是春闺梦里人。
yóu shì chūn guī mèng lǐ rén

【注释】　①陇西行：古代歌曲名。　②匈奴：北方民族，汉朝时常犯边侵扰。这里借指侵犯边境的异族。　③貂锦：用貂皮做的战袍。这里借指将士。胡尘：即匈奴的地方。　④无定河：在陕西北部。　⑤春闺：这里指年轻少妇。

【解说】　将士们不怕牺牲，誓死扫除外敌，五千人都死于保卫边防的战争中，可怜无定河边的白骨，还是他们妻子梦中思念的亲人。诗人通过春闺寻梦，从而曲折、含蓄地表达了对战死者和生存者的同情。

239

shuāng yuè
霜月

lǐ shāng yǐn
李 商 隐

chū wén zhēng yàn yǐ wú chán
初 闻 征 雁 已 无 蝉，

bǎi chǐ lóu gāo shuǐ jiē tiān
百 尺 楼 高 水 接 天。

qīng nǚ sù é jù nài lěng
青 女 素 娥 俱 耐 冷，

yuè zhōng shuāng lǐ dòu chán juān
月 中 霜 里 斗 婵 娟。

【注释】 ①征雁：旅途中的大雁。 ②青女：神话中的霜神。素娥：传说中的月宫嫦娥。 ③斗：比赛。
婵娟：这里指女子姿容美好。

【解说】 刚听到南飞大雁的叫声，蝉就已经不再鸣叫了，登上高楼远望，仿佛天水连接在一起似的。霜
神和嫦娥都不怕冷，她们在秋霜明月中争妍斗艳。这首诗以拟人化的手法，写霜月争辉，把秋夜的景
色，写得出神入化。

dēng lè yóu yuán
登乐游原

lǐ shāng yǐn
李商隐

xiàng wǎn yì bù shì
向 晚 意 不 适，

qū chē dēng gǔ yuán
驱 车 登 古 原。

xī yáng wú xiàn hǎo
夕 阳 无 限 好，

zhī shì jìn huáng hūn
只 是 近 黄 昏。

【注释】 ①向晚：傍晚。 ②古原：指乐游原，汉宣帝修建的游览地，在陕西长安城南。

【解说】 傍晚的时候心情不好，我赶着马车登上了乐游原。快要落山的太阳无限美好，只是已经接近黄昏。诗人对夕阳发出了感叹。"夕阳"可以指人，也可以指事物，既有年华易逝，美人迟暮的伤感，又有国事日非的忧虑。语浅意深，道出了人生的哲理。

夜雨寄北
yè yǔ jì běi

李商隐
lǐ shāng yǐn

君 问 归 期 未 有 期，
jūn wèn guī qī wèi yǒu qī

巴 山 夜 雨 涨 秋 池。
bā shān yè yǔ zhǎng qiū chí

何 当 共 剪 西 窗 烛，
hé dāng gòng jiǎn xī chuāng zhú

却 话 巴 山 夜 雨 时。
què huà bā shān yè yǔ shí

【注释】　①寄北：寄给在北方（长安）的妻子。诗人此时在巴蜀（四川）。　②巴山：又叫大巴山，在陕西、四川两省边界。　③何当：何时才能。剪：指剪去烧残的烛心，使烛明亮。

【解说】　这首诗是诗人写给妻子的。你问我回家的日子，我自己也不知道，今夜，巴山的雨下得这么大，池塘的水都涨满了。什么时候才能与你同坐西窗共剪烛花，那时我还要告诉你在巴山夜雨时我思念你的心境。全诗反映了诗人思念妻子的焦虑心情，言浅意深，令人百读不厌。

sù luò shì tíng jì huái cuī yōng cuī gǔn
宿骆氏亭寄怀崔雍崔衮

lǐ shāng yǐn
李商隐

zhú wù wú chén shuǐ jiàn qīng
竹坞无尘水槛清，

xiāng sī tiáo dì gé chóng chéng
相思迢递隔重城。

qiū yīn bù sàn shuāng fēi wǎn
秋阴不散霜飞晚，

liú dé kū hé tīng yǔ shēng
留得枯荷听雨声。

【注释】　①竹坞：绿竹丛生的凹地。水槛：近水的亭台。　②迢递：遥远。重城：一座又一座城。　③秋阴：秋天的阴云。

【解说】　竹坞洁净无尘，临水的骆氏亭更是清静，不由想起远隔着千山万水的你们。秋日里的阴云不散，霜也来得晚，只听得细雨打在枯荷上的沙沙声。诗人深秋怀念朋友，心情寂寞，所以对景物的描写也显得幽静清淡。全诗情景交融，富有神韵，历来评价很高。

suí gōng
隋宫

lǐ shāng yǐn
李 商 隐

chéng xìng nán yóu bù jiè yán
乘 兴 南 游 不 戒 严，
jiǔ chóng shuí xǐng jiàn shū hán
九 重 谁 省 谏 书 函？
chūn fēng jǔ guó cái gōng jǐn
春 风 举 国 裁 宫 锦，
bàn zuò zhàng ní bàn zuò fān
半 作 障 泥 半 作 帆。

【注释】　①九重：九重深宫，这里指隋炀帝。省：检查自己之意。谏书函：函封的谏章。　②宫锦：高级锦缎。　③障泥：垫在马鞍下用来挡蔽泥土的用具。

【解说】　隋炀帝乘着兴致南游也不戒严，他把劝阻的谏书置之不问。下令全国百姓为其织裁高级锦缎，一半制成马鞍下的障泥，一半制成船队的篷帆。诗人用"乘兴"与"不戒严"展现了隋炀帝贪图享乐与骄横任性及昏庸，要"举国"为其以珍贵的宫锦裁制"障泥"和船帆，不惜民力物力，使人联想起隋朝的灭亡与隋炀帝之间的关系。

无题

李商隐

相见时难别亦难，
东风无力百花残。
春蚕到死丝方尽，
蜡炬成灰泪始干。
晓镜但愁云鬓改，
夜吟应觉月光寒。
蓬山此去无多路，
青鸟殷勤为探看。

【注释】 ①蜡炬：蜡烛。 ②云鬓改：如云的鬓发变白或变疏，意为青春容颜逐渐消失。 ③蓬山：即蓬莱山，海外神山，指对方住处。 ④青鸟：神话中的鸟，它是西王母的使者，这里借指传递消息的人。

【解说】 这是一首写恋人离别相思之情的诗。暮春百花凋残，东风也无奈，恋人难得相见，分别更难。要我们不相思，除非像春蚕到死，蜡烛燃尽。我只愁早晨梳妆镜中发现容颜憔悴，遥想你在月夜吟诗应感到孤单。从这里到你去的蓬山万里不算太远，希望请人时时传递两地消息。诗写得哀婉动人，历来为人传颂。

jiǎ shēng
贾 生

lǐ shāng yǐn
李 商 隐

xuān shì qiú xián fǎng zhú chén
宣 室 求 贤 访 逐 臣，

jiǎ shēng cái diào gèng wú lún
贾 生 才 调 更 无 伦。

kě lián yè bàn xū qián xí
可 怜 夜 半 虚 前 席，

bù wèn cāng shēng wèn guǐ shén
不 问 苍 生 问 鬼 神。

【注释】 ①宣室：西汉宫殿名。皇帝斋戒问鬼神事的地方。逐臣：放逐或被贬的臣子。 ②才调：才能。无伦：无与伦比，无比。 ③虚：徒然。前席：在坐席上向前挪动。 ④苍生：老百姓。这里指国计民生的大事。

【解说】 汉文帝求贤在宣室召见已被放逐的贾谊，贾谊的才能无与伦比。可惜白白地促膝谈心到半夜，竟然不问治国安民之事却问起鬼神之事！诗强烈地讽刺汉文帝只关心自己而忘记天下百姓，使贤才虚受知遇之宠。诗人以此托古讽今。

江楼感旧
jiāng lóu gǎn jiù

赵嘏
zhào gǔ

独 上 江 楼 思 渺 然，
dú shàng jiāng lóu sī miǎo rán

月 光 如 水 水 如 天。
yuè guāng rú shuǐ shuǐ rú tiān

同 来 望 月 人 何 处？
tóng lái wàng yuè rén hé chù

风 景 依 稀 似 去 年。
fēng jǐng yī xī sì qù nián

【注释】　①渺然：悠远的样子。　②依稀：仿佛，好像。

【解说】　这是一首怀念旧友旧事的诗。我一个人登上江边的高楼，心里有一种空荡荡的感觉，月光照在江面上，如同清澈的流水，放眼望去，江水与天空连成一片。去年一同来赏月的人现在在哪里？只有眼前的景物仿佛还是去年的样子。此诗语言朴实，以景寄情，尤其是"月光如水水如天"一句，给人以无限的遐想，回味无穷。

过野叟居
guò yě sǒu jū

mǎ dài
马 戴

野人闲种树，
yě rén xián zhòng shù

树老野人前。
shù lǎo yě rén qián

居止白云内，
jū zhǐ bái yún nèi

渔樵苍海边。
yú qiáo cāng hǎi biān

呼儿采山药，
hū ér cǎi shān yào

放犊饮溪泉。
fàng dú yǐn xī quán

自著养生论，
zì zhuó yǎng shēng lùn

无须忧暮年。
wú xū yōu mù nián

【注释】 ①野叟：居住在郊外或山林中的老人。 ②居止：居住。白云内：山上幽静之地。 ③渔樵：捕鱼打柴，这里偏指捕鱼。

【解说】 经过林中老人居室，门前有他种植的大树。他居住在山上幽静之处，捕鱼是在蓝色的海边。有时呼叫孩儿去山崖采药，有时牵着小牛到溪边饮水。老者很重视养生之道，因此无须担忧衰老的晚年。诗人用朴素自然的笔墨，以轻松愉快的情调描写了老者丰富多彩的田园生活。

guān cāng shǔ
官 仓 鼠

cáo yè
曹邺

guān cāng lǎo shǔ dà rú dǒu
官 仓 老 鼠 大 如 斗,
jiàn rén kāi cāng yì bù zǒu
见 人 开 仓 亦 不 走。
jiàn ér wú liáng bǎi xìng jī
健 儿 无 粮 百 姓 饥,
shuí qiǎn zhāo zhāo rù jūn kǒu
谁 遣 朝 朝 入 君 口?

【注释】 ①健儿:这里指保卫国家的将士。 ②遣:使,让。君:你。这里指官仓里的老鼠。

【解说】 这是一首把贪官污吏比作官仓老鼠的讽刺诗。官仓里的老鼠吃得饱饱的像斗一样肥大,这些胆大妄为的老鼠竟然到了见人开仓也不躲不逃的地步。官仓里的粮食被你们糟蹋得使守边的将士没饭吃,老百姓受饥挨饿,到底是谁天天把粮食送进你们口里的呢?这最后的发问,令人深思。

山亭夏日
shān tíng xià rì

gāo pián
高骈

绿树阴浓夏日长，
lù shù yīn nóng xià rì cháng

楼台倒影入池塘。
lóu tái dào yǐng rù chí táng

水精帘动微风起，
shuǐ jīng lián dòng wēi fēng qǐ

满架蔷薇一院香。
mǎn jià qiáng wēi yī yuàn xiāng

【注释】　①水精帘：又叫水晶帘，一种珠帘。　②蔷薇：花名。

【解说】　这是一首写景诗。夏天到了，绿树底下树阴浓，白天越来越长，楼台的倒影映入池塘。微风吹拂，水面上波纹晃动，就像水晶做成的帘子。棚架上开满蔷薇花，满院清香弥漫。此诗意境清雅，构思精巧，全诗似一幅"夏日山居"图展现在读者的眼前。

对雪 duì xuě

高骈 gāo pián

六出飞花入户时，
liù chū fēi huā rù hù shí

坐看青竹变琼枝。
zuò kàn qīng zhú biàn qióng zhī

如今好上高楼望，
rú jīn hǎo shàng gāo lóu wàng

盖尽人间恶路歧。
gài jìn rén jiān è lù qí

【注释】　①六出：六瓣。雪的形状如六瓣花。　②琼枝：白玉雕成的树枝。　③恶路歧：险恶的岔路。

【解说】　这是一首借景抒怀之作。诗人坐在窗前，欣赏着雪花飘入庭户，窗外的青竹渐渐变成玉叶琼枝。于是诗人想到此时如果登上高楼观赏野景，那野外一切崎岖难走的道路都将被大雪盖尽，展现在眼前的将是坦荡无边的粉妆世界。诗人希望白雪能消除人世间的一切罪恶，使艰难险阻都变成光明洁净的坦途。

251

南池 (nán chí)

李郢 (lǐ yǐng)

小男供饵妇搓丝，
(xiǎo nán gōng ěr fù cuō sī)

溢榼香醪倒接蓠，
(yì kē xiāng láo dào jiē lí)

日出两竿鱼正食，
(rì chū liǎng gān yú zhèng shí)

一家欢笑在南池。
(yī jiā huān xiào zài nán chí)

【注释】 ①榼：古时盛酒的器具。醪：浊酒。接篱：古代的一种头巾。

【解说】 这首诗描写了一个小家庭垂钓时的欢乐情景。一家三口，小男孩在准备鱼饵，妈妈在搓钓鱼丝线；满壶的酒放在一旁，酒香飘溢，爸爸倒戴着帽子边品着酒边在垂钓。太阳升高两竿，正是鱼儿吃食的时候，鱼儿不断地上钩，全家人在池边不时地爆发出欢笑声。

yīng wǔ
鹦 鹉

luó yǐn
罗 隐

mò hèn diāo lóng cuì yǔ cán
莫 恨 雕 笼 翠 羽 残,

jiāng nán dì nuǎn lǒng xī hán
江 南 地 暖 陇 西 寒。

quàn jūn bù yòng fēn míng yǔ
劝 君 不 用 分 明 语,

yǔ dé fēn míng chū zhuǎn nán
语 得 分 明 出 转 难。

【注释】 ①陇西:甘肃以西,据传为鹦鹉产地。 ②语:说,作动词。 ③转:反而。

【解说】 不要怨恨自己被关在华丽的笼子里,使身上漂亮的羽毛被人剪了,江南气候温暖,而你的老家陇西却是十分寒冷。劝你说话不要太过于明白,明白的话语反而难以出口。诗人借鹦鹉来表达自己在当时连说话的自由都没有,揭露了社会的黑暗。

雪

xuě 雪

luó yǐn
罗隐

jìn dào fēng nián ruì
尽道 丰年 瑞,

fēng nián shì ruò hé
丰年 事 若 何?

cháng ān yǒu pín zhě
长安 有 贫 者,

wéi ruì bù yí duō
为瑞 不宜 多。

【注释】 ①瑞:瑞雪,应时的好雪。 ②若何:怎么样。

【解说】 人们都说瑞雪预兆着丰收年,即使真的是丰年,又怎么样呢?长安城里有那么多穷人,没有衣服穿,没有房子住,他们会在大雪中冻死,这雪可不能下得太大太多啊!诗人托咏雪以抒情,表现了诗人对苦难人们的深刻同情。

fēng
蜂

luó yǐn
罗 隐

bù lùn píng dì yǔ shān jiān
不 论 平 地 与 山 尖,
wú xiàn fēng guāng jìn bèi zhàn
无 限 风 光 尽 被 占。
cǎi dé bǎi huā chéng mì hòu
采 得 百 花 成 蜜 后,
wèi shuí xīn kǔ wèi shuí tián
为 谁 辛 苦 为 谁 甜?

【注释】 ①山尖:山峰。

【解说】 这是一首咏物诗。无论是在田野还是在山冈,凡是鲜花盛开的地方,都有辛勤劳动的蜜蜂。它们采得百花酿成了花蜜之后,为谁甜蜜而自甘辛苦呢?诗人带着可惜怜悯之意赞美了那些终日勤劳、不避艰难、为他人创造幸福的人,也鞭挞了那些不劳而获的人。

gǎn nòng hóu rén cì zhū fú
感 弄 猴 人 赐 朱 绂

luó yǐn
罗 隐

shí èr sān nián jiù shì qī
十 二 三 年 就 试 期，

wǔ hú yān yuè nài xiāng wéi
五 湖 烟 月 奈 相 违。

hé rú mǎi qǔ hú sūn nòng
何 如 买 取 胡 孙 弄，

yī xiào jūn wáng biàn zhuó fēi
一 笑 君 王 便 着 绯。

【注释】　①朱绂：朱红色的佩带，唐代要四五品官才能赐佩。这里指官服。　②就试期：参加进士的考试。　③五湖烟月：五湖风景。奈相违：无可奈何地离开。　④胡孙：即猴子。　④绯：红色，指朱绂。

【解说】　一个弄猴人因猴驯养得好，博得了皇帝的欢心，立即赐给红袍封为五品官。罗隐此诗有感于此而发。参加进士考试已有十多年了，为了赶考，只得离开家乡的五湖风光。还不如买只猴子学耍猴的，君王一高兴就能穿上红袍当官了。诗人将自身的遭遇与耍猴人的青云直上进行对比，对晚唐的腐败给予鞭挞。

diào lǚ
钓侣

pí rì xiū
皮日休

yán líng tān shì sì yún bēng
严陵滩势似云崩，

diào jù guī lái fàng shí céng
钓具归来放石层。

yān làng jiàn péng hán bù shuì
烟浪溅篷寒不睡，

gèng jiāng kū bàng diǎn yú dēng
更将枯蚌点渔灯。

【注释】 ①严陵滩：在浙江省富春江畔，传说东汉高士严子陵曾在此隐居过。 ②枯蚌：指没有蚌肉的蚌壳。

【解说】 严陵滩水势湍急，翻腾的水浪像崩散的云朵，钓完鱼后将渔具放在石头层里。江中泛起的白浪溅落在船篷上，冷得无法入睡，只好点起用蚌壳做成的渔灯。诗写钓鱼人的清寒生活。

257

lí sāo
离骚

陆龟蒙 lù guī méng

天问复招魂，
tiān wèn fù zhāo hún

无因彻帝阍。
wú yīn chè dì hūn

岂知千丽句，
qǐ zhī qiān lì jù

不敌一谗言！
bù dí yī chán yán

【注释】　①天问、招魂：均为屈原所作的诗。　②彻帝阍：通到帝王门前。　③千丽句：指屈原的文章是奇文丽句。

【解说】　屈原写了《天问》又写了《招魂》，都没有办法送达到帝王面前。哪里知道这么多奇文丽句，还抵敌不过子兰等人的恶言中伤。屈原忠贞、爱国，呕心沥血写了著名的《离骚》等诗歌，不但没有用处，反而受疏远、遭流放。诗中揭露并批判小人当道，阻断言路的史实，也讽刺了君王听信谗言的昏庸无道。

新沙
陆龟蒙

渤澥声中涨小堤，
官家知后海鸥知。
蓬莱有路教人到，
应亦年年税紫芝。

【注释】 ①渤澥：渤海。 ②蓬莱：神话中的蓬莱仙岛。 ③紫芝：紫色的灵芝，传说它长在仙岛上，吃了之后能使人长生不老。

【解说】 这是一首讽刺晚唐赋税之重的诗。在渤海的涨落潮声中，海滩边淤积起一条沙堤，官府知道后海鸥才知道。如果有条通往蓬莱仙境的路，那么官家也会年年去那里收紫芝税呢。诗人以高度的夸张，尖刻的讽刺，用近乎开玩笑的幽默口吻揭露了官家搜刮的触须无处不到的现实。

送日本国僧敬龙归

韦庄

扶桑已在渺茫中，
家在扶桑东更东。
此去与师谁共到？
一船明月一帆风。

【注释】 ①敬龙：日本和尚名。 ②扶桑：传说中太阳升起的地方。渺茫：远而空荡的样子。 ③师：指敬龙和尚。

【解说】 这是一首送别诗，全诗着力于"送归"上，反映诗人对异国友人的关心与惜别之情。扶桑在渺茫的大海那边，而您的家还在更远的地方。这次回日本，谁与您共到呢？但愿明月陪伴您，一帆风顺地回到您的家。

台城 *tái chéng*

韦庄 *wéi zhuāng*

江雨霏霏江草齐，
jiāng yǔ fēi fēi jiāng cǎo qí

六朝如梦鸟空啼。
liù cháo rú mèng niǎo kōng tí

无情最是台城柳，
wú qíng zuì shì tái chéng liǔ

依旧烟笼十里堤。
yī jiù yān lǒng shí lǐ dī

【注释】　①台城：古代建康宫旧址，在今南京市玄武湖边。　②霏霏：雨下得细而密的样子。　③六朝：指吴、东晋、宋、齐、梁、陈六个朝代，均建都在建康。　④烟笼：柳烟笼罩。

【解说】　这是一首凭吊六朝古迹的诗，诗人借历史上六朝由盛到衰的历史，感叹唐朝的日趋没落。江面上的细雨蒙蒙，江边长满了丰盛的水草，六朝像梦一般的过去了，只有那鸟儿还在悲凄地鸣叫着。最无情的还是当年宫城外的杨柳树，仍然像以前那样，烟霭迷蒙，笼罩着十里长堤。风景依旧，世事沧桑，令人感慨。

与小女
yǔ xiǎo nǚ

韦庄
wéi zhuāng

见人初解语呕哑，
jiàn rén chū jiě yǔ ōu yā

不肯归眠恋小车。
bù kěn guī mián liàn xiǎo chē

一夜娇啼缘底事？
yī yè jiāo tí yuán dǐ shì

为嫌衣少缕金华。
wèi xián yī shǎo lǚ jīn huā

【注释】　①初解：指开始能听懂大人讲话的意思。呕哑：小孩子学说话的声音。　②缘底事：因为什么事情。　③缕金华：用金线绣的花儿。华，同"花"。

【解说】　这是诗人写给自己小女儿的诗。她才听懂大人讲话，就咿咿呀呀地学着说话了。因为爱玩小车就不肯去睡觉；因为衣裳上少绣了朵金线花，整个晚上哭闹着不肯歇。诗抓住小女孩学话、贪玩、爱漂亮、喜欢哭闹的特点，通过这些生活琐事的描写，小女孩天真可爱的形象跃然纸上，诗人爱女之情也流于笔端。

tián jiā
田家

niè yí zhōng
聂夷中

fù gēng yuán shàng tián
父耕原上田,

zǐ zhú shān xià huāng
子斸山下荒。

liù yuè hé wèi xiù
六月禾未秀,

guān jiā yǐ xiū cāng
官家已修仓。

【注释】 ①斸:大锄,农具的一种,这里有掘的意思。 ②禾未秀:稻子尚未吐穗扬花。

【解说】 父亲在平原上耕田,儿子在山脚下开荒。六月的禾苗还没有开花,官府却已经修好了粮仓等待征粮。这首用笔简朴的诗讽刺了统治者对老百姓疾苦不关心,而在搜刮民脂民膏上却早已精心打算,早作安排,表现了诗人对农人的怜悯。

263

gōng zǐ jiā
公 子 家

niè yí zhōng
聂 夷 中

zhòng huā mǎn xī yuán
种 花 满 西 园,

huā fā qīng lóu dào
花 发 青 楼 道。

huā xià yī hé shēng
花 下 一 禾 生,

qù zhī wéi è cǎo
去 之 为 恶 草。

【注释】 ①西园:楼房西面的花园。 ②青楼:豪华精美的楼房。

【解说】 各种各样的花草种满了西园,盛开的鲜花照映在青楼大道。忽然发现花枝下长着一株禾苗,却被当作恶草而狠狠拔去。诗人选用将花下一棵禾苗当作恶草拔除的细节,勾画出富家子弟苗草不分、愚昧无知的形象。这也可使人联想到,一些有真才实学的人,在某些人的眼中却被视为恶草,即遭铲除。

jiān xíng wú tí
江行无题

qián xǔ
钱 珝

wàn mù yǐ qīng shuāng
万 木 已 清 霜，

jiāng biān cūn shì máng
江 边 村 事 忙。

gù xī huáng dào shú
故 溪 黄 稻 熟，

yī yè mèng zhōng xiāng
一 夜 梦 中 香。

【注释】　①江行：沿江而行。　②村事：指农事。　③故溪：指故乡的苕溪（在今浙江省湖州市一带）。

【解说】　诗从写秋收农忙联想到家乡稻熟情景。秋天到了，树叶上已有清霜，江边稻子熟了，农民们正在忙着收割。此时家乡苕溪两岸，也是稻熟金黄了吧，昨夜睡梦中还闻到金谷飘香呢！诗中洋溢着诗人对家乡的爱，以及对家乡的思念之情。

yǒng jià shàng xīng
咏 架 上 鹰

cuī xuàn
崔 铉

tiān biān xīn dǎn jià tóu shēn
天 边 心 胆 架 头 身，

yù nǐ fēi téng wèi yǒu yīn
欲 拟 飞 腾 未 有 因。

wàn lǐ bì xiāo zhōng yī qù
万 里 碧 霄 终 一 去，

bù zhī shuí shì jiě tāo rén
不 知 谁 是 解 绦 人。

【注释】 ①绦：丝带，这里指系鹰于架上的绳子。

【解说】 诗人小时候随父到大官僚韩晃家作客，韩晃指着架上的苍鹰叫他写首诗。诗人当下就写了这首诗，表达了自己的凌云壮志。这架上的老鹰心志在天边，却身困在架子上，欲想飞腾却没有机会和条件。但它深信最终总会翱翔在万里碧空中的，只是不知谁能帮助解掉系在架上的绳子。

己亥岁感事
jǐ hài suì gǎn shì

曹 松
cáo sōng

泽 国 江 山 入 战 图，
zé guó jiāng shān rù zhàn tú

生 民 何 计 乐 樵 苏。
shēng mín hé jì lè qiáo sū

凭 君 莫 话 封 侯 事，
píng jūn mò huà fēng hóu shì

一 将 功 成 万 骨 枯。
yī jiàng gōng chéng wàn gǔ kū

【注释】 ①泽国：指江南水网地带。战图：作战地区。 ②生民：百姓。乐樵苏：意为安居乐业。樵，打柴。苏，割草。

【解说】 战火蔓延到江南一带，老百姓无法安居乐业。请你不要再谈论做大官，当将军的事了，要知道，一个将军立功扬名时，有千万士兵的身躯变成了枯死的骨头！晚唐政治腐败，战祸连年，镇海节度使因镇压黄巢起义有功而封侯。诗人为此伤感，写下此诗。

云 yún

来鹄 lái hú

千 xíng 万 xiàng 竞 还 空，
qiān xíng wàn xiàng jìng hái kōng

映 水 藏 山 片 复 重。
yìng shuǐ cáng shān piàn fù chóng

无 限 旱 苗 枯 欲 尽，
wú xiàn hàn miáo kū yù jìn

悠 悠 闲 处 作 奇 峰。
yōu yōu xián chù zuò qí fēng

【解说】　夏云不断变幻化出各种形象，盼望它能下雨还是落空了，它时而倒影映入水中，时而隐藏在山后，忽而轻云片片，忽而重重叠叠。大片的旱苗已经快枯死了，而夏日的白云却高高在上，悠悠闲闲地化作一座奇峰。诗人咏物抒怀，讽刺统治阶级高高在上，不顾百姓的疾苦。

268

春怨
chūn yuàn

金昌绪
jīn chāng xù

打 起 黄 莺 儿，
dǎ qǐ huáng yīng ér

莫 教 枝 上 啼。
mò jiào zhī shàng tí

啼 时 惊 妾 梦，
tí shí jīng qiè mèng

不 得 到 辽 西。
bù dé dào liáo xī

【注释】 ①春怨：因春天到来而引起的伤心情绪。 ②打起：打跑，赶走。 ③妾：闺中妇人自称。
④辽西：辽河以西，在今辽宁省西部。

【解说】 这是首写闺中女子思念在外征战的丈夫的怨诗，语言生动活泼，富有民歌色彩。赶走你这只黄莺，不让你在树枝上啼叫。啼叫声吵醒了我的梦，使我无法梦见在辽西征战的丈夫。

焚书坑
fén shū kēng

章碣
zhāng jié

竹帛烟销帝业虚，
zhú bó yān xiāo dì yè xū

关河空锁祖龙居。
guān hé kōng suǒ zǔ lóng jū

坑灰未冷山东乱，
kēng huī wèi lěng shān dōng luàn

刘项原来不读书。
liú xiàng yuán lái bù dú shū

【注释】 ①竹帛：竹简和帛书，泛指书籍。 ②关河：主要指函谷关和黄河。祖龙：秦始皇要做子孙万代诸"龙"之祖。 ③山东：华山以东地区，指战国末年秦以外六国的地盘。 ④刘项：刘邦和项羽。

【解说】 竹简和帛书化为灰烟消失了，秦始皇的帝业也就跟着灭亡，虽然关河险固，但也保不住秦始皇居住的宫殿。焚书坑的余灰还未冷透，山东一带已开始造反了。推翻秦朝的刘邦和项羽，他们的出身并不是读书人呀！这首诗对秦始皇焚书的暴虐行径进行了辛辣的讽刺和无情的谴责。

<ruby>鸡<rt>jī</rt></ruby>

<ruby>崔<rt>cuī</rt></ruby><ruby>道<rt>dào</rt></ruby><ruby>融<rt>róng</rt></ruby>

<ruby>买<rt>mǎi</rt></ruby><ruby>得<rt>dé</rt></ruby><ruby>晨<rt>chén</rt></ruby><ruby>鸡<rt>jī</rt></ruby><ruby>共<rt>gòng</rt></ruby><ruby>鸡<rt>jī</rt></ruby><ruby>语<rt>yǔ</rt></ruby>：

<ruby>常<rt>cháng</rt></ruby><ruby>时<rt>shí</rt></ruby><ruby>不<rt>bú</rt></ruby><ruby>用<rt>yòng</rt></ruby><ruby>等<rt>děng</rt></ruby><ruby>闲<rt>xián</rt></ruby><ruby>鸣<rt>míng</rt></ruby>；

<ruby>深<rt>shēn</rt></ruby><ruby>山<rt>shān</rt></ruby><ruby>月<rt>yuè</rt></ruby><ruby>黑<rt>hēi</rt></ruby><ruby>风<rt>fēng</rt></ruby><ruby>雨<rt>yǔ</rt></ruby><ruby>夜<rt>yè</rt></ruby>，

<ruby>欲<rt>yù</rt></ruby><ruby>近<rt>jìn</rt></ruby><ruby>晓<rt>xiǎo</rt></ruby><ruby>天<rt>tiān</rt></ruby><ruby>啼<rt>tí</rt></ruby><ruby>一<rt>yī</rt></ruby><ruby>声<rt>shēng</rt></ruby>。

【注释】 ①共鸡语：对鸡说话。 ②等闲：随便。

【解说】 诗人借咏鸡来表达生活中的一种愿望。买来一只报晓鸡就对鸡说，平常的时候用不着随便啼鸣，要在深山没有月亮的风雨夜，将近天亮时啼叫一声。诗人希望在黑暗的日子里，在晦明难辨的时候，有人能够报告黎明即将到来的消息。

牧竖

mù shù

chī dào róng
崔道融

mù shù chí suō lì
牧竖持蓑笠，

féng rén qì ào rán
逢人气傲然。

wò niú chuī duǎn dí
卧牛吹短笛，

gēng què bàng xī tián
耕却傍溪田。

【注释】 ①牧竖：牧童。 ②持：穿戴的意思。

【解说】 诗描写牧童的形象。牧童穿蓑衣戴笠帽，碰到陌生人，就装得像大人一样很神气。放牧时，卧躺在牛背上吹短笛；耕田时，就等待在田头边。诗中的牧童天真烂漫，颇觉有趣。

tián shàng
田 上

cuī dào róng
崔 道 融

yǔ zú gāo tián bái
雨 足 高 田 白，
pī suō bàn yè gēng
披 蓑 半 夜 耕。
rén niú lì jù jìn
人 牛 力 俱 尽，
dōng fāng shū wèi míng
东 方 殊 未 明。

【注释】 ①高田白：地势高的田地都是一片白茫茫的。 ②俱：都。 ③殊：很，差得远。

【解说】 这是一首描写农民劳动情景的诗。哗哗的大雨使地势高的田地也积满了雨水，农民们半夜里就冒雨披着蓑衣驱牛去耕田了。人和牛都累得精疲力竭了，而东方的天空却远未亮。全诗明白如话，朴实生动，表达了作者对农民艰难生活的深切同情。

xī jū jí shì
溪居即事

cuī dào róng
崔 道 融

lí wài shuí jiā bù xì chuán
篱 外 谁 家 不 系 船，

chūn fēng chuī rù diào yú wān
春 风 吹 入 钓 鱼 湾。

xiǎo tóng yí shì yǒu cūn kè
小 童 疑 是 有 村 客，

jí xiàng chái mén qù què guān
急 向 柴 门 去 却 关。

【注释】　①溪居：溪边村舍。　②柴门：用树枝、芦柴等做成的门。关：门栓。这里指柴门的扣子。

【解说】　篱笆外是一湾溪水，不知谁家没有拴好船缆，春风把它吹到钓鱼湾。一个儿童看到有只船漂过来，还以为来客人了，急忙跑去解开柴门的扣子，开门迎客。诗人捕捉住这短暂而极富情趣的生活画面，成功地录下了一个热情好客、天真可爱的水乡儿童的形象。

晓 日 (xiǎo rè)

韩偓 (hán wò)

天际霞光入水中，
(tiān jì xiá guāng rù shuǐ zhōng)

水中天际一时红。
(shuǐ zhōng tiān jì yī shí hóng)

直须日观三更后，
(zhí xū rì guān sān gēng hòu)

首送金乌上碧空。
(shǒu sòng jīn wū shàng bì kōng)

【注释】 ①晓：拂晓。 ②际：边界处，边缘。 ③直须：只须，只要。日观：指泰山日观峰。 ④金乌：传说太阳中有三足乌鸦，此指太阳。

【解说】 这是一首描写泰山观日出的小诗。天边的霞光映入水中，水天一片艳红。只要在日观峰上等到三更后，就可以看到金光闪闪的太阳最早被送上碧蓝的天空。

华清宫

吴融

四郊飞雪暗云端，
唯此宫中落旋干。
绿树碧檐相掩映，
无人知道外边寒。

【注释】 ①旋：不久，立刻。

【解说】 郊外大雪纷飞，黑沉沉的乌云密布天空，只有落在这华清宫的雪很快就融化干。华清宫内的绿树和那碧绿的屋檐相映，谁也不知道外面的天气已非常寒冷。诗人用对比的方式，把宫外、宫内两个不同的世界进行比较，揭露了唐朝统治者不顾战争给人民带来的痛苦，反而继续在宫中过着奢侈生活的丑恶现象。

fù guì qǔ
富贵曲

zhèng áo
郑 遨

měi rén shū xǐ shí
美人梳洗时，
mǎn tóu jiàn zhū cuì
满头间珠翠。
qǐ zhī liǎng piàn yún
岂知两片云，
dài què shù xiāng shuì
戴却数乡税。

【注释】　①间：间隔，错杂地缀着。珠翠：指珍珠和翡翠。　　②两片云：两边鬓发。

【解说】　美人梳洗打扮时，错杂地戴满一头的珍珠翡翠。哪里知道这两边鬓发，戴掉了几个乡上缴的税收。诗中的美人是指达官显贵的女眷。诗人用她们头上的戴饰值几个乡的税收，深刻地揭露剥削者对劳苦大众的横征暴敛。

gōng zǐ xíng
公 子 行

mèng bīn yú
孟 宾 于

jǐn yī hóng duó cǎi xiá míng
锦 衣 红 夺 彩 霞 明，

qīn xiǎo chūn yóu xiàng yě tíng
侵 晓 春 游 向 野 庭。

bù shí nóng fū xīn kǔ lì
不 识 农 夫 辛 苦 力，

jiāo cōng tà làn mài qīng qīng
骄 骢 踏 烂 麦 青 青。

【注释】 ①夺：赛过。 ②侵晓：天刚亮。野庭：田野。 ③骄骢：健壮的毛色青白相间的马。

【解说】 富贵人家的公子们穿着锦缎做的比彩霞还要鲜艳的衣服，一大清早就骑着马去野外游春。他们尽兴玩耍，根本不管农民辛辛苦苦种出的庄稼，纵马奔驰，踏烂了无数的麦苗。诗中表达了诗人对富家子弟任意糟蹋庄稼的恶劣行径的气愤。

怀良人

huái liáng rén

葛鸦儿 (gě yā ér)

蓬鬂荆钗世所稀，
péng bìn jīng chāi shì suǒ xī

布裙犹是嫁时衣。
bù qún yóu shì jià shí yī

胡麻好种无人种，
hú má hǎo zhòng wú rén zhòng

正是归时底不归？
zhèng shì guī shí dǐ bù guī

【注释】 ①怀良人：即思念丈夫。 ②蓬鬂：像蓬草一样散乱的头发。荆钗：用荆条做成的发钗。
③胡麻：芝麻。 ④底：何，为什么。

【解说】 像蓬草一样散乱不齐的头发上插着世上少有的自制荆钗，身上穿的布裙子还是出嫁时的衣物。现在正是播种芝麻的时候，可是却无人种，正是你该回家的时候，可为何到现在不回来呢？这首诗描写了一个普通的农村妇女盼望远戍在外的丈夫归来的急切心情。诗既是为女主人诉苦，也是对统治者的反抗和呼吁。

淮上与友人别
huái shàng yǔ yǒu rén bié

zhèng gǔ
郑 谷

yáng zǐ jiāng tóu yáng liǔ chūn
扬 子 江 头 杨 柳 春，

yáng huā chóu shā dù jiāng rén
杨 花 愁 杀 渡 江 人。

shù shēng fēng dí lí tíng wǎn
数 声 风 笛 离 亭 晚，

jūn xiàng xiāo xiāng wǒ xiàng qín
君 向 潇 湘 我 向 秦。

【注释】 ①淮上：指扬州。 ②潇湘：潇水和湘水。这里指湖南一带。秦：指长安，即陕西西安。
【解说】 扬子江头的杨柳春意正浓，杨花飞舞却引起渡江人的忧愁。几声笛声在晚风中的离亭边回荡，我们在这亭中分手，你赴潇湘，我去长安。诗人通过对景色的描写，诉述了与友人惜别之情，读了令人沉思遐想。

淮上渔者

huái shàng yú zhě

zhèng gǔ
郑谷

bái tóu bō shàng bái tóu wēng
白头波上白头翁，
jiā zhú chuán yí pǔ pǔ fēng
家逐船移浦浦风。
yī chǐ lú yú xīn diào dé
一尺鲈鱼新钓得，
ér sūn chuī huǒ dí huā zhōng
儿孙吹火荻花中。

【注释】　①逐：跟随。浦：水边，岸边。　②荻：草本植物，形状像芦苇。

【解说】　这是一首表现渔家生活的诗。江中白浪上有一位白发老人，船行哪里，家也就移到哪里，水边到处有风。白发老人钓得一条尺把长的鲈鱼，儿孙们便忙着在荻花丛中吹火待煮。渔者苦中有乐。

赠卖松人

于武陵

入市虽求利，
怜君意独真。
欲将寒涧树，
卖与翠楼人。
瘦叶几经雪，
淡花应少春。
长安重桃李，
徒染六街尘。

【注释】 ①寒涧树：指松树生于深山荒寒溪涧边。 ②翠楼人：指富贵人家。 ③六街：指长安众多的街道。

【解说】 把松树送到市场去卖，我赞赏你的用意是好的。你想把耐寒的松树，卖给住在高楼里的贵人。松叶能够几经风雪，但淡淡的松花却不美丽。长安城历来只看重桃李芬芳的艳色，可怜这些松树白白地染上长安大街上的灰尘。诗人借劝卖松人的话，讥讽当政者只重阿谀逢迎者，不爱有节操的人。

送人游吴

<sòng rén yóu wú>

杜荀鹤

君到姑苏见，
<jūn dào gū sū jiàn>

人家尽枕河。
<rén jiā jìn zhěn hé>

古宫闲地少，
<gǔ gōng xián dì shǎo>

水港小桥多。
<shuǐ gǎng xiǎo qiáo duō>

夜市卖菱藕，
<yè shì mài líng ǒu>

春船载绮罗。
<chūn chuán zài qǐ luó>

遥知未眠月，
<yáo zhī wèi mián yuè>

相思在渔歌。
<xiāng sī zài yú gē>

【注释】 ①姑苏：即苏州。 ②古宫：春秋时吴国都城，唐时古宫遗址已建满民屋，所以称"古宫闲地少"。 ③绮罗：原指织有花纹的丝绸，这里指穿着华丽衣服的人。

【解说】 你到苏州可看到家家户户的房屋都建在小河上。吴宫遗址已建满民屋，空地极少，水港的小桥却特别多。夜市还在叫卖菱藕，游船上乘载着穿着华丽的人们。我知道你将会在那月明之夜，将思念我的心情寄托在渔歌上。诗人向将去吴地游览的友人介绍姑苏的景物民情。苏州的地方特色写得很好。

山中寡妇

杜荀鹤

夫因兵死守蓬茅，
麻苎衣衫鬓发焦。
桑柘废来犹纳税，
田园荒尽尚征苗。
时挑野菜和根煮，
旋斫生柴带叶烧。
任是深山更深处，
也应无计避征徭。

【注释】　①蓬茅：茅屋。　②征苗：庄稼尚未成熟就要交税称征苗。　③旋斫：现砍。　④征徭：赋税和劳役。

【解说】　丈夫被战乱夺去了生命，妻子在破茅屋中栖身，身穿粗糙麻布衣，鬓发已枯黄。桑柘树都已砍光，却还要征收蚕税，田园都荒尽了，仍硬要她交纳青苗税。平时挖了野菜和草根一起煮来吃，刚砍下的柴，带着绿叶就要烧。即使到更深的深山里，也没有办法逃避劳役和赋税。

cán fù
蚕 妇

dù xún hè
杜荀鹤

fěn sè quán wú jī sè jiā
粉 色 全 无 饥 色 加,
qǐ zhī rén shì yǒu róng huá
岂 知 人 世 有 荣 华!
nián nián dào wǒ cán xīn kǔ
年 年 道 我 蚕 辛 苦,
dǐ shì hún shēn zhuó zhù má
底 事 浑 身 着 苎 麻!

【注释】 ①底事:什么事。浑身:全身。着:穿。

【解说】 这首诗通过一个养蚕妇女的诉说,向不公平的社会提出了质疑和抗议。养蚕妇女脸上没有一点脂粉色,蜡黄的脸色一天比一天难看,长年累月在贫困中生活,哪里知道世上还有什么"荣华"。年年都说养蚕辛苦,为什么我们全身上下穿不上自己生产的丝绸衣裳而只能穿这粗麻布衫?

再经胡城县
zài jīng hú chéng xiàn

杜荀鹤
dù xún hè

去 岁 曾 经 此 县 城，
qù suì céng jīng cǐ xiàn chéng

县 民 无 口 不 冤 声。
xiàn mín wú kǒu bù yuān shēng

今 来 县 宰 加 朱 绂，
jīn lái xiàn zǎi jiā zhū fú

便 是 生 灵 血 染 成。
biàn shì shēng líng xuè rǎn chéng

【注释】　①县宰：县令，县官。　②朱绂：红色官服。　③生灵：老百姓。

【解说】　去年曾路过这座县城，到处听到老百姓的喊冤声。今年县官受到加封，穿上了红色的五品官服，这都是用老百姓的鲜血染成的。诗人以两次入城的所见所闻，讽刺了一个实施苛政理该受到王法制裁，而今却被破格提拔的县令，无情地揭露了唐末封建政治的腐败与黑暗。

渔父

yú fǔ

lǐ zhōng
李中

ǒu xiàng lú huā shēn chù xíng
偶 向 芦 花 深 处 行，

xī guāng shān sè wǎn lái qíng
溪 光 山 色 晚 来 晴。

yú jiā kāi hù xiāng yíng jiē
渔 家 开 户 相 迎 接，

zhì zǐ zhēng kuī quǎn fèi shēng
稚 子 争 窥 犬 吠 声。

【注释】 ①渔父：老渔翁。 ②稚子：小孩子。

【解说】 这首诗表现渔家待人的热情和真挚。一个晴日的傍晚，诗人偶尔来到一个渔村。溪水潺潺，山色青青，芦苇丛丛，环境僻静。渔民闻讯，就出来开门迎接。孩子们见了陌生的客人，都争着挤着从门缝里探看，村里立时响起一片狗吠声，寂静的渔村一时热闹起来了。这情景写得亲切感人。

春晚书山家屋壁

guàn xiū
贯 休

chái mén jì jì shǔ fàn xīn
柴 门 寂 寂 黍 饭 馨，
shān jiā yān huǒ chūn yǔ qíng
山 家 烟 火 春 雨 晴。
tíng huā méng méng shuǐ líng líng
庭 花 蒙 蒙 水 泠 泠，
xiǎo ér tí suǒ shù shàng yīng
小 儿 啼 索 树 上 莺。

【注释】　①馨：香。　②蒙蒙：形容雨点细小。　泠泠：流水的声音。　③啼索：哭着要。

【解说】　这是一首反映农家情趣的小诗。山村的农户柴门外静悄悄的，只有一阵阵黄米饭的香味扑鼻而来，缕缕炊烟在雨后的天空中冉冉上升。庭院里的花，笼在迷蒙的水气中，泉水在泠泠流淌，一个小孩啼哭着向大人要那只叫声悦耳的黄莺。诗人描写了山村雨后的景色，写得朴实、自然，充满了生活气息。

288

gōng zǐ xíng
公 子 行

guàn xiū
贯 休

jǐn yī xiān huá shǒu qíng hú
锦 衣 鲜 华 手 擎 鹘，

xián xíng qì mào duō qīng hū
闲 行 气 貌 多 轻 忽。

jià sè jiān nán zǒng bù zhī
稼 穑 艰 难 总 不 知，

wǔ dì sān wáng shì hé wù
五 帝 三 王 是 何 物！

【注释】　①鹘：苍鹰，常作为猎鹰。　②稼穑：耕种收获，泛指农业劳动。　③五帝三王：五帝是黄帝、颛顼、帝喾、唐尧、虞舜，三王是夏禹、商汤、周文武。

【解说】　穿着鲜艳华丽的锦缎衣服，一手托着苍鹰，到处闲逛的样子多么轻浮。怎么耕种，何时收获，这些公子是一点也不懂，甚至会问五帝三王是什么样的东西！此诗前两句勾画出纨袴子弟那种恶少的形象，后两句把这种绣花枕头一包草的寄生虫描绘得使人不齿。

chūn cǎo
春 草

táng yàn qiān
唐 彦 谦

tiān běi tiān nán rào lù biān
天 北 天 南 绕 路 边，
tuō gēn wú chù bù yán mián
托 根 无 处 不 延 绵。
qī qī zǒng shì wú qíng wù
萋 萋 总 是 无 情 物，
chuī lù dōng fēng yòu yī nián
吹 绿 东 风 又 一 年。

【注释】 ①托：依赖。 ②萋萋：草长得茂盛的样子。"春草生兮萋萋"，"山中兮不可以久留"。春草催人归家，所以称之为"无情物"。

【解说】 春天一到，天南地北到处都生长着路边的小草，依赖着草根，春草无处不绵延生长。可茂盛的春草总要催人回家，春风吹绿小草又过了一年了！诗人借春草又绿，抒发自己久客外地强烈的思归情绪。

shè rì
社 日

wáng jià
王 驾

é hú shān xià dào liáng féi
鹅 湖 山 下 稻 粱 肥，

tún zhà jī qī bàn yǎn féi
豚 栅 鸡 栖 半 掩 扉。

sāng zhè yǐng xié chūn shè sàn
桑 柘 影 斜 春 社 散，

jiā jiā fú de zuì rén guī
家 家 扶 得 醉 人 归。

【注释】 ①社日：古时农村春分前后祭社神（土地神）和五谷神的日子。 ②鹅湖山：在今江西铅山县内。稻粱：泛指粮食作物。 ②豚：猪。鸡栖：鸡舍。扉：门扇。

【解说】 鹅湖山下庄稼丰收在望，院子里猪圈、鸡舍的门半开着。太阳下山了，树影淡斜，春社结束了，家家扶着酒醉之人回家去。诗人选取了江南社日的一个特殊的场面，形象地表现了当地农家的和平生活和农民淳朴的性格。

291

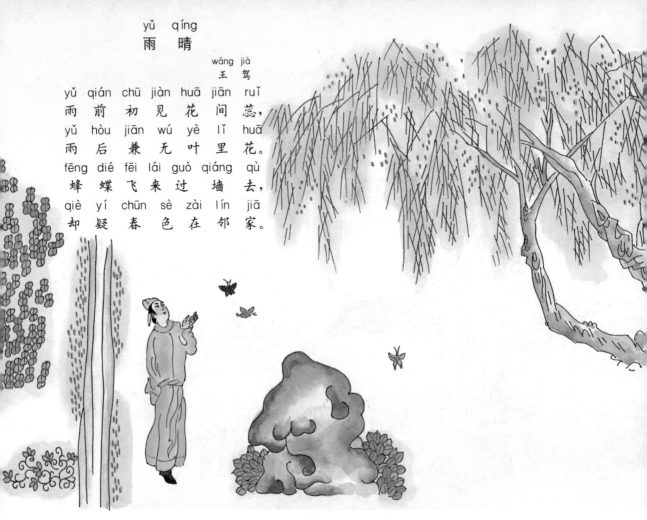

雨晴 （yǔ qíng）

王驾（wáng jià）

雨前初见花间蕊，
（yǔ qián chū jiàn huā jiān ruǐ）

雨后兼无叶里花。
（yǔ hòu jiān wú yè lǐ huā）

蜂蝶飞来过墙去，
（fēng dié fēi lái guò qiáng qù）

却疑春色在邻家。
（qiè yí chūn sè zài lín jiā）

【注释】 ①花间蕊：即花心。 ②兼无：同时失去。

【解说】 这是一首作者雨后漫步小园的即兴小诗。雨前，花儿刚刚吐出了娇嫩的花蕊，一场春雨过后，却只剩下绿叶。叶下的花儿不见了，翩翩飞来的蜂蝶纷纷飞过墙去，真叫人怀疑春色是不是在邻家的花园里呢？这首小诗构思新颖，平中见奇，以奇妙的联想，表现了诗人的惜春之情。

寄外征衣
jì wài zhēng yī

陈 玉 兰
chén yù lán

夫 戍 边 关 妾 在 吴，
fū shù biān guān qiè zài wú

西 风 吹 妾 妾 忧 夫。
xī fēng chuī qiè qiè yōu fū

一 行 书 信 千 行 泪，
yī háng shū xìn qiān háng lèi

寒 到 君 边 衣 到 无？
hán dào jūn biān yī dào wú

【注释】　①妾：旧时妇女自称。吴：指江苏一带。

【解说】　你守卫在边关，我却在吴地，凉飕飕的西风吹到我身上的时候，我正在为你而担忧。我寄上一封简短的书信，信中的每一行字上都浸透了我的眼泪，寒气来到你身边的时候，我寄出的寒衣不知收到没有？诗人以真诚的感情，自然通俗的语言，写出了一个女子想念和关怀守卫边关的丈夫的心情，写得真切感人。

和李秀才边庭四时怨
hè lǐ xiù cái biān tíng sì shí yuàn

卢汝弼
lú rǔ bì

朔风吹雪透刀瘢，
shuò fēng chuī xuě tòu dāo bān

饮马长城窟更寒。
yìn mǎ cháng chéng kū gèng hán

半夜火来知有敌，
bàn yè huǒ lái zhī yǒu dí

一时齐保贺兰山。
yī shí qí bǎo hè lán shān

【注释】　①朔风：北风。刀瘢：刀砍的伤疤。　②窟：积水的洞穴。　③火：指烽火，敌人入侵的警报。
④一时：同时。贺兰山：山名，这里指边疆。

【解说】　北风和着大雪吹透身上的刀伤疤，驻扎在长城脚下使人感到非常寒冷。半夜烽火燃起知有敌
人来犯，将士们共同奋起保卫边疆。这是一首边塞诗，诗中歌颂将士们在艰苦的环境下保卫边疆的爱
国热情。

寄人 (jì rén)

张泌 (zhāng bì)

别梦依依到谢家， (bié mèng yī yī dào xiè jiā)

小廊回合曲阑斜。 (xiǎo láng huí hé qū lán xié)

多情只有春庭月， (duō qíng zhǐ yǒu chūn tíng yuè)

犹为离人照落花。 (yóu wèi lí rén zhào luò huā)

【注释】 ①寄人：写给意中人。 ②回合：环绕。

【解说】 分别以后，我常常在梦中回到那熟悉的谢家，院子里的小廊环绕，曲阑依旧，却不见了那美丽的姑娘。春夜庭院中的月光最多情，她为我照着那凋零在地上的片片落花。这是一首写思念恋人痛苦之情的诗，诗人借用月光来诉说对恋人的一往情深的情感。

nóng jiā
农 家

yán rén yù
颜仁郁

yè bàn hū ér chèn xiǎo gēng
夜 半 呼 儿 趁 晓 耕，
léi niú wú lì jiàn jiān xíng
羸 牛 无 力 渐 艰 行。
shí rén bù shí nóng jiā kǔ
时 人 不 识 农 家 苦，
jiāng wèi tián zhōng gǔ zì shēng
将 谓 田 中 谷 自 生。

【注释】　①羸：瘦弱。　②时人：指世人。　③将谓：还以为。

【解说】　半夜里就叫醒孩儿趁早耕耘，那瘦弱无力的老牛非常艰难地朝前走着。世人哪儿知道农民的辛苦呢？还以为田地中的禾苗都是自己生长起来的。诗的前两句形象地描写务农者辛勤劳苦，后两句则讽刺那些衣来伸手饭来张口的人。

yǒng yuè
咏 月

lǐ jiàn shū
李 建 枢

zuó yè yuán fēi jīn yè yuán
昨 夜 圆 非 今 夜 圆，

què yí yuán chù jiǎn chán juān
却 疑 圆 处 减 婵 娟。

yī nián shí èr dù yuán quē
一 年 十 二 度 圆 缺，

néng dé jǐ duō shí shào nián
能 得 几 多 时 少 年？

【注释】 ①咏：描述。 ②婵娟：漂亮，美丽。 ③度：次，回。

【解说】 这是一首"咏月"的小诗。昨天的圆月不是今天的圆月，真怀疑这再圆的月亮是否依旧美丽？在一年十二个月里，月亮圆了又缺，缺了又能再圆，可一个人的一生当中，属于青春年少的光阴又能有多少呢？诗人通过对自然交替的变化，领悟到光阴无情、岁月短暂的道理，告诫人们要珍惜时光。

述国亡诗
shù guó wáng shī

徐氏
xú shì

君王城上竖降旗，
jūn wáng chéng shàng shù xiáng qí

妾在深宫那得知？
qiè zài shēn gōng nǎ dé zhī

十四万人齐解甲，
shí sì wàn rén qí jiě jiǎ

更无一个是男儿！
gèng wú yī gè shì nán ér

【注释】 ①君王：指唐后五代十国中的后蜀主孟昶。 ②妾：即诗人徐氏，为孟昶贵妃。那：同"哪"。
③解甲：放下武器。 ④更无：再没有。

【解说】 君王在城头上竖起了降旗，我在内宫哪里知道。十四万将士不战而降，难道再没有一个是男子汉？诗人勇敢地打破偏见，把亡国责任放到应负责任的君王头上。

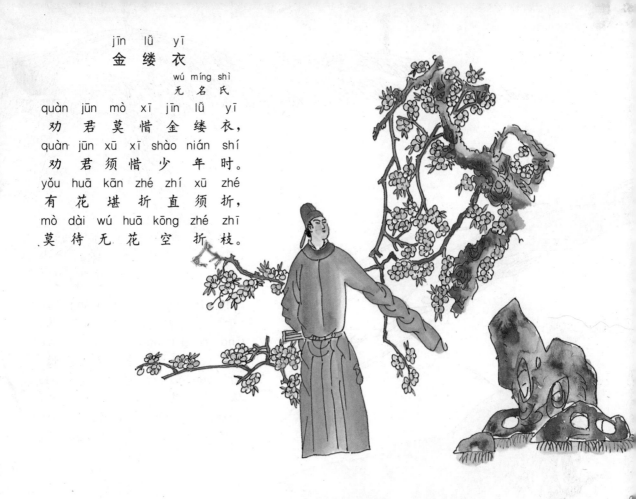

jīn lǚ yī
金缕衣

wú míng shì
无 名 氏

quàn jūn mò xī jīn lǚ yī
劝 君 莫 惜 金 缕 衣，

quàn jūn xū xī shào nián shí
劝 君 须 惜 少 年 时。

yǒu huā kān zhé zhí xū zhé
有 花 堪 折 直 须 折，

mò dài wú huā kōng zhé zhī
莫 待 无 花 空 折 枝。

【注释】 ①金缕衣：属唐代乐府新题，首句中指华丽贵重的衣服。 ②堪：可以。直须：只该，就应当。

【解说】 这首诗用比喻的手法劝诫人们要珍惜大好时光，不要虚度年华。我劝你不要去爱惜华丽贵重的金缕衣，而必须珍惜青春年少时。有花可以摘取的时候就要去摘，不要等到花落时再去摘取空枝。前两句用"金缕衣"与"少年时"作对比说明青春的可贵；后两句以"花"比喻青春，用"有花"与"无花"作对比，进一步说明要珍惜这可贵的光阴，不要等青春逝去时再去抓紧，那时就后悔莫及了。

水 调 歌
shuǐ diào gē

无 名 氏
wú míng shì

平 沙 落 日 大 荒 西，
píng shā luò rì dà huāng xī

陇 上 明 星 高 复 低。
lǒng shàng míng xīng gāo fù dī

孤 山 几 处 看 烽 火，
gū shān jǐ chù kàn fēng huǒ

壮 士 连 营 候 鼓 鼙。
zhuàng shì lián yíng hòu gǔ pí

【注释】 ①水调歌：古时歌曲名。 ②大荒：边远的地方。 ③高复低：指星星位置，又说明时间在推移，夜在加深。 ④烽火：传告敌人入侵的警报。 ⑤鼓鼙：军中小鼓。

【解说】 夕阳从广阔的沙漠尽头消失，陇山上星星闪烁，夜在加深。连营驻守的将士们，突然看到孤山上燃起了几处烽火，焦急地等待着出征的鼓声。这是一首边塞战歌，歌颂边防将士时刻准备杀敌的爱国主义精神。